D1634140

Cyfrol Deyrnged
Syr Thomas Parry-Williams

Wedi ei golygu
gan
IDRIS FOSTER

LLYS YR EISTEDDFOD GENEDLAETHOL
1967

ARGRAFFWYD GAN J. D. LEWIS A'I FEIBION CYF.
GWASG GOMER : LLANDYSUL

CYFROL DEYRNGED
SYR THOMAS PARRY-WILLIAMS

Syr Thomas Parry-Williams

CYNNWYS

LLUNIAU

RHAGAIR

CYFROL deyrnged yw hon ac ynddi fe geisir mynegi parch, edmygedd a diolch mwy nag un genhedlaeth o gyfeillion a disgyblion Syr Thomas Parry-Williams. Fe ddengys ei chynnwys ehangder ei weithgareddau, disgleirdeb ei ysgolheictod, ei ddawn a'i feistrolaeth fel bardd a llenor, a helaethrwydd ei gyfraniad i fywyd Cymru (eleni—blwyddyn arbennig yn ei fywyd—efe yw Llywydd Llys yr Eisteddfod Genedlaethol, Llywydd Llyfrgell Genedlaethol Cymru a Llywydd Anrhydeddus Gymdeithas y Cymmrodorion).

Y rhwymyn sy'n clymu'r holl ragoriaethau hyn yn undod sicr yw cadernid ei gymeriad a swyn ei bersonoliaeth—nodweddion na ellir eu portreadu'n gyflawn mewn na llun na llyfr. I geisio'u deall mae'n bwysig cofio am ei dras—o ochr Rhyd-ddu ac o ochr y Gwyndy—ac am y gynhysgaeth a dderbyniodd oddi wrth ei hynafiaid a'i rieni. Mae ef ei hun wedi rhestru rhai o roddion grasol ei hynafiaid. Fe erys anwyldeb tangnefeddus a dedwyddwch llawen y teulu yn Nhŷ'r Ysgol yn rhan annatod ohono. A dyna'r gymdeithas Gymraeg ddiwylliedig a diddan y cafodd ei fagu ynddi, gyda'i chyfoeth o briod-ddulliau a thraddodiadau. Fe gadwodd Syr Thomas gyfoeth iaith y gymdogaeth hon yn fyw yn y gell greadigol honno yn ei ' ymennydd lle y trysorir ymadroddion Cymraeg y mae swyn [iddo] yn eu hailadrodd.' Nid yw'n syn o gwbl fod ganddo'r fath afael ar ymadroddion yr Ysgrythur a geiriau'r emynwyr, a'i fod yn awdurdod ar ' "dafodieithoedd" gweddïau Cymraeg.' Yr oedd cymeriadau ' gwreiddiol ' yn y gymdeithas hon a gofalodd yntau nad ydynt heb fod coffa amdanynt. Mae haenau'r graig y naddwyd ef ohoni yn gwbl eglur ynddo.

Mae'n wir iddo gyfaddef unwaith fod tuedd gref ynddo ' i fynd yn sentimental ynglŷn â'r hen fro.' Am yr un mlynedd ar ddeg cyntaf o'i oes yn unig y ' bu'n trigiannu'n sefydlog yno,' a dywed mai ' gwlad hanner-lledrithiol yn y pen a'r galon fu hi ' iddo wedyn. Ond fel y dangosir yn rhai o ysgrifau'r gyfrol hon, mae i'r fro gynefin arwyddocâd cymhleth yn ei waith llenyddol. Ni ellir ei wahanu ef na'i waith oddi wrth ' yr Wyddfa a'i chriw,'

'llymder a moelni'r tir,' ' y llyn a'r afon a'r clogwyn ' ; ac
yn Oerddwr :

    Nid yw'r ddaear yn ddaear yno, fel petae,
    Gan fod amgenach na phriddyn ym mhridd pob cae.

Mae Syr Thomas wedi hen grwydro'r gwledydd a'r cyfandiroedd
—' o San Francisco i Soar-y-mynydd, ac o Singapore i Sili-wen.'
Wrth grwydro fe amlhaodd ei ddysg—y ' pendroni a stryffaglio
gydag ieithoedd a llenyddiaethau a phethau byg.' Ymhellach,
fe gasglodd brofiadau amrywiol a theimlo mai :

    Ysigol yw gwyrthiau'r ddaear ar ddyn
    Pan fo hwnnw ar daith gydag ef ei hun

a chanfod fod ' dyfnder didrugaredd ' i drueni dyn. Rhaid cofio
o hyd am ' Y Flwyddyn Honno ' pan fu'n ' ymddiddori'n
frwysg a chwilfrydig mewn problemau bywyd yn ei wahanol
agweddau mewn dyn ac anifail, ymdaflu'n llwyr i feistroli dyrys
bynciau deddfau a chyfrinion Natur.' Pan ddôi'r awydd i
anghofio ' llyfrau ac ysgrifennu a phethau "diwylliedig" felly '
bu'n ymroi i ffidlan yn ddeheuig neu i flasu'r byw bendigedig
' naturiol, awyragoredol braf.' Dyma fywyd llawn, er iddo fynegi
rywdro mai ' rhyw hanner dwsin, mwy neu lai, o ddigwyddiadau
sydd yng nghwrs bywyd.' Ym mhob digwyddiad a thrwy'r holl
droeon i gyd bu un gynneddf brin yn effro ac ar waith—' y gallu
i fyfyrio a phensynnu.'

    Flynyddoedd lawer yn ôl fe ddywedodd Syr Thomas mai'r
' gwir beth hanfodol mewn llenydda yw diffuantrwydd, cywir-
deb ysbryd.' Gŵyr pawb ohonom fod y peth hanfodol hwn
ganddo ef, nid yn unig pan fo'n llenydda ond yn ei holl ymwneud
â dynion. Ffrwyth ei ddiffuantrwydd a'i gywirdeb ysbryd yw ei
raslonrwydd cynhenid, ei urddas di-lol, ei asbri bywiol, ei
gydymdeimlad dwys a'i ofal diorffwys gyda phob dim yr
ymgymer ag ef.

    Braint fawr i bob un ohonom yw cael cyflwyno'r Gyfrol
Deyrnged hon iddo.

IDRIS FOSTER.

Gwall Argraffu

tud. 8., ll. 8. yn lle "byg" darllener "tebyg". Llithrodd y gair
wrth argraffu.

CADWYN O ENGLYNION

RHAID OEDD EI ANRHYDEDDU

gan WILLIAM MORRIS

Rhodiodd ef o hedd Rhyd-ddu—a chododd
    I serchiadau Cymru.
Bardd hynod, rhyfeddod fu
Ei wawr gynnar a'i ganu.

Canu ei glod i'r frodir—a roddes
    I'w wreiddiau naws cywir.
Er mynd, a throi o'i mawndir,
Ni edy mo'i thŷ na'i thir.

Tir ei fro, cofio'r cyfan—daw arno'n
    Gadernid ym mhobman.
Hon, erioed, fe'i rhoed yn rhan
Ohono ef ei hunan.

Ef ei hunan ar fynydd—a daniwyd
    Mewn dawn ac ymennydd.
O'i ganeuon gwin newydd,
O ffrwyth y rhain rhedai'n rhydd.

A rhoi'n rhydd o rin yr iaith—a garodd,
    Rhin geiriau ei dalaith.
Minnau, mwynhaf ei afiaith
Ar lawer awr a'i lwyr waith.

Llwyr ei waith, cynullwr yw—ar fedel
    Ei brofiadau amryw ;
A meistr i sôn am ystryw
A chymhlethdod bod a byw.

Byw a wnaeth i wasnaethu—y Gymraeg,
    A'i mawrhau trwy'i allu.
Athro i feirdd, doethor fu,
Rhaid oedd ei anrhydeddu.

Anrhydeddu gŵr diddan—ei oslef,
　A'i ddwyslais ar lwyfan.
Erys gwledd ei wersi glân
Mwy ar gof Cymru gyfan.

Am oes gyfan bu'n tanio—rhai ifainc,
　Profent wefr i'w deffro :
Mwyniant na chollir mono
Ydoedd o nwyd ei ddawn o.

Ei ddawn o a'i roddion aeth—yn ei fro
　Yn frig ei llenyddiaeth.
Rhown i'r marchog wrogaeth
Ei werin am win a maeth.

Maeth i Gymru a'i lluoedd—nid o fyd
　Ond o'i fewn yr hanoedd :
Mwyneiddiach o'r mynyddoedd
Y deuai'n ias, dyna oedd.

Dyna oedd ei fyd a'i nef—encilion
　Y coleg a'r cartref.
Llwybrau dethol, diddolef,
O'i Ryd-ddu a rodiodd ef.

CYWYDD

SYR THOMAS PARRY-WILLIAMS

gan BRINLEY RICHARDS

Gwyleiddiaf, hawddgaraf gŵr,
Awenyddol fonheddwr.

Y disgleiria'n ei ganu
Erioed a ddaeth o'r Rhyd-ddu,
Ac aur ei awen gywrain
Ar ysgolhaig yn rhoi sglain.

Rhoes i ' gaddug ' canu caeth
Newydd hoen ei ddewiniaeth,
Yn fflwch o degwch digardd,
Yn fwyd a diod i fardd.

Rhoddodd geinder i ryddiaith
Drwy reddf ysblanderwr iaith ;
Pen crefftwr, bathwr y bau,
Asiwr gêr a saer geiriau !

Arwyddai'r athro amryddawn
Nad gwrysg oedd pob dysg a dawn ;
Ei loywon glasuron sydd
Yn rhoi min ar ymennydd,
Ac ir naws yn graenuso
Megis gwawn ei eurgrawn o.

Gwelsom cyn hyn, â'i ddawn hy,
Fin ei gynneddf yn gwanu
Megis llyminog oged
Yn cyffro, datguddio'i ged,
Gan ryddhau haenau ein hiaith
I roi hoen i dw'r heniaith.

Rhoddes i gamp barddas gu
Ogoniant llafar ganu ;
Yn ddi-nam troes y ddawn hon
Waddol ei ymadroddion
Â'i bwyslais byw a'i oslef
Yn emau o'i enau ef.

Teyrngedu'n fflam am gymaint
O win y brenin yw'n braint.
Na ad i minnau wedyn
Fel Cymro anghofio hyn ;
Frenhinbren yr awen wiw !
Daeth encyd i ddweud 'Thanciw'.

CERDDI'R EISTEDDFOD

gan GWILYM R. TILSLEY

FEL eraill o feirdd pwysicaf hanner cyntaf y ganrif hon—
T. Gwynn Jones, W. J. Gruffydd, R. Williams Parry—
trwy'r Eisteddfod y daeth Syr Thomas Parry-Williams gyntaf i
sylw ei genedl fel bardd, a hynny trwy gyflawni ddwywaith
orchest nas cyflawnwyd gymaint ag unwaith gan neb arall na
chynt nac wedyn. Nid oes bellach ond pobl dros drigain oed yn
cofio'r cyffro a grewyd yn Wrecsam yn 1912 ac ym Mangor yn
1915 pan enillwyd y Goron a'r Gadair gan y gŵr ifanc o Ryd-
ddu, a diamau nad oes ond ychydig o'r rheiny yn gwybod fawr
ddim am y cerddi a enillodd iddo ei glod cynnar. Tyfodd mwy
nag un genhedlaeth i'w hoed er y dyddiau hynny sy'n edrych ar
y cerddi hyn fel rhan o lenyddiaeth y gorffennol, heb lawn
sylweddoli fod y gŵr a'u lluniodd eto'n fyw a heini yn ein plith.
A hir y parhao felly.

Y mae lle i gredu nad yw'r bardd ei hun yn cyfrif y cyfansodd-
iadau hyn yn ddim mwy nag arbrofion cynnar, neu ymarferiadau
wrth iddo ddysgu ei grefft. Un rheswm dros gredu hynny yw
na chynhwysodd yr un ohonynt mewn casgliad o'i farddoniaeth.
Yn hyn o beth y mae'n wahanol i amryw o'i gyfoeswyr. Yr
oedd W. J. Gruffydd ac R. Williams Parry, er enghraifft, yn
barod i arddel eu cerddi eisteddfodol hwy hyd y diwedd, a bu
T. Gwynn Jones wrthi am dros chwarter canrif yn gloywi a
chaboli ' Ymadawiad Arthur,' ond ar wahân i argraffiad preifat
o'r bryddest ' Y Ddinas ' a gyhoeddwyd yn 1962, ni welodd y
cerddi hyn olau dydd ond yn nwy gyfrol Cyfansoddiadau'r
Eisteddfod. Peth arall sy'n awgrymu yr un agwedd yw fod y
bardd wedi cefnu'n llwyr ar holl ddull a chyfryngau y canu
cynnar hwn. Ni chyfansoddodd byth wedyn ddim y gellid yn
briodol ei galw yn bryddest, ac, yn rhyfeddach fyth, ni wnaeth
odid ddim defnydd byth wedyn o'r gynghanedd yr oedd yn
gymaint meistr ar ei thrin.

Y casgliad naturiol i'w dynnu oddi wrth hyn yw y gellir
anghofio'n llwyr am y cerddi eisteddfod, ac nad oes rhaid i neb
wrth geisio tafoli barddoniaeth T. H. Parry-Williams gymryd

unrhyw sylw ohonynt. Wedi ail-ddarllen y pedair cerdd yn ddiweddar yr wyf yn argyhoeddedig mai camgymeriad mawr fyddai tybio felly. Y mae'n ddiamau y gellir cael mwynhad mawr o gerddi a sonedau a rhigymau'r bardd heb wybod dim am y ddwy awdl a'r ddwy bryddest, ond yn sicr ni ellir cael deall-twriaeth lawn o dyfiant awen y bardd heb ymgydnabod â'r cerddi cynnar hyn, ac, yn wir, po fwyaf y darllenir arnynt mwyaf yn y byd y gwelir eu bod yn adlewyrchu bywiogrwydd awen bardd ar ei dyfiant ac yn rhagargoeli pethau mwy i ddyfod.

Pwrpas hyn o ysgrif yw edrych o newydd ar y pedair cerdd eisteddfodol a cheisio gweld ym mha fodd yr oeddynt yn baratoad ar gyfer gwaith aeddfetach y bardd, a gan fod y cerddi wedi eu claddu mewn cyfrolau o Gyfansoddiadau'r Eisteddfod sydd bellach yn anodd eu cael, rhaid fydd egluro ychydig ar y cefndir, amodau cystadleuaeth a safonau beirniadaeth y blyn-yddoedd hynny.

(i)

Y MYNYDD

Dyma awdl fuddugol Eisteddfod Wrecsam 1912. Y flwyddyn honno yr oedd 19 o gystadleuwyr am y Gadair. Y tri beirniad oedd Pedrog, Berw a'r Athro John Morris-Jones, a chytunai'r tri bod awdl *Drúi na Sleibhe* yn sefyll ar ei phen ei hun. Meddai John Morris-Jones : ' O ran ei diwyg nid oes yn y gystadleuaeth un awdl sy'n dyfod yn agos at hon . . . Anfynych y gwelir yng nghystadleuaeth y Gadair Gymraeg mor loyw a chywir.' Felly Berw hefyd : ' Yn hoywder ei hawen, yn nyfnder ei meddwl ac yng nghoethder ei hiaith nid oes ei thebyg yma.' O'r tri, Pedrog a soniodd fwyaf am ddiffygion y gerdd, ond dyma'i ddyfarniad terfynol yntau : ' Yn ddiamheuol dyma'r awdl orau . . . ac fel y darllenir hi trwyddi teimlwn ar y terfyn fod ei barddoniaeth yn toi ei ffaeleddau fel y cuddir cerrig duon y trai gan ddylifiad y llanw.'

Awdl yn y traddodiad rhamantaidd ydyw, yn yr un llinach ag awdl ' Gwlad y Bryniau,' 1909, ac awdl ' Yr Haf,' 1910, ond bod iddi rai elfennau newydd nas ceid yn y lleill. Un o'r rhain oedd ymwybod cyfriniol â Natur. Uwchben ei gerdd gosododd y bardd gyfieithiad o eiriau Wordsworth :

Mae deulais yn y coed, un i'r môr,
    Un i'r mynyddoedd.

ac ni ellir peidio â meddwl am Wordsworth wrth ddarllen y
gerdd. Daw hyn yn amlwg, nid yn unig yn ei ffordd o ymadroddi,
ond yn yr holl athroniaeth gyfriniol sy'n sylfaen i'r awdl Hanes
taith enaid sydd ynddi, o drueni i wynfyd, fel y gwelir yn glir yn
agoriad y gerdd :

    Un nwyd oedd yn f'enaid i yn nydd hir
        Newydd oes . .

    Un enaid oedd i ni'n dau, tragywydd
        Y mynydd a minnau . .

    Ni bu cyfor fwy'i orfod, na chwerwach
        Hiraeth ym machgendod ;
    Ond dydd â mynydd fy mod, er gorwanc
    Dyhewyd ifanc, yn oedi dyfod.

    Ba ryw enaid sy i'r bryniau ? Hyn a wn
    Mai un ydyw hwn â'm henaid innau.

Sylwer yn arbennig ar y geiriau ' mynydd fy mod ' yn y trydydd
dyfyniad uchod, canys yma yn ddiau y mae'r allwedd i gyfrinach
y gerdd. Hynny yw, y mae'r bardd yn uniaethu ei anniddigrwydd
ei hun â'r mynydd, ac yn gobeithio y daw trwy gymod â'r
mynydd i gymod ag ef ei hun ac â bywyd i gyd. Yn ôl confensiwn
y cyfnod dygir i mewn amryw gymeriadau i helpu datblygu'r
thema. Yn y gerdd hon cyferfydd y bardd â meudwy'r mynydd
a'i cynghora, o'i brofiad cyffelyb ei hun, i fyned ymaith o dir
y mynydd a dysgu o bell ei garu. Yn yr ail ran cyferfydd â lleian,
un fel yntau a ŵyr am siomiant, a rhaid cydnabod nad hawdd yw
deall rhediad a phwrpas y rhan hon, ond yn y drydedd ran
dychwel y bardd yn ôl cyngor y meudwy i'r mynydd, lle daw i
gymundeb agos ag ' enaid y mynydd,' ac i gymdeithas â ' rhiain
y mynydd ' ; gweddnewidir y mynydd i gyd, a gorfoledda yntau
mewn cymod a chytgord â Natur :

    Cura tair calon lon yng nghorlannau,
    Un y mynydd, 'y meinwen a minnau.

    Yma byth mi obeithiaf, ac er siom
    Ym myd y wylo mi ymdawelaf.

Nid yw o bwys i ni bellach, fel yr oedd i'r beirniaid, i ba raddau y seiliwyd y gerdd ar y testun, ond y mae o ddiddordeb i sylwi fel y defnyddiodd y bardd ei destun i ganu ei brofiad. Gwnaeth y mynydd yn ddrych i'w weld ei hun ynddo, neu fel y dywaid Pedrog, ' barnodd y bardd hwn fod ganddo hawl i yrru ei ysbryd ei hun i fewn i'r mynydd, a chanu ei brofiad allan ohono.' Yn yr ystyr hon y mae'r awdl yn rhagargoeli yn bendant iawn pa fath fardd y datblyga'i hawdur i fod yn ei gerddi diweddarach. Ni pherthyn i ni yma drafod y cerddi a'r rhigymau, ond un nodwedd ynddynt a gydnabyddir gan bawb yw'r ffordd y defnyddiodd y bardd bob math o destunau i adlewyrchu ei brofiad mewnol. Gellir dal iddo fod yn ffodus mai ' Y Mynydd ' oedd y testun yn 1912, ond teg yw casglu y buasai wedi llwyddo i drin bron unrhyw destun arall yn yr un modd, a sôn, pe bai rhaid, am ' afon fy mod ' neu ' môr fy mod ' neu ' nefoedd fy mod ' neu ' uffern fy mod.' Nid oes eisiau dim mwy na bwrw golwg dros destunau ei gerddi a'i ysgrifau ar hyd y blynydd-oedd i weld mor amrywiol ydynt ac mor effeithiol y defnydd-iwyd hwynt oll i ddatguddio rhyw agwedd neu'i gilydd ar brofiad yr awdur. Ac eto, er yr holl ddatguddio, ni bu erioed ddadlennu llawn, ac erys personoliaeth y bardd yn gymaint o enigma ag erioed. Gosododd ddelw ei bersonoliaeth a'i brofiad ar bob testun y canodd iddo, ond er iddo dreulio'i oes fel llenor i adrodd ei brofiad mewn cerdd ac ysgrif, nid oes yn ein plith neb sy'n fwy o ddirgelwch nag ef, ac efallai mai'r ymadrodd sy'n cyfleu y dirgelwch hwn orau yw'r un a ddefnyddiodd y bardd ei hun yn ei awdl gyntaf, sef ' mynydd fy mod.'

Ni fyddai'n iawn inni orffen sôn am yr awdl hon chwaith heb ddwyn ar gof i'n gilydd fod ynddi ambell linell lwythog o ystyr, fel hon :

Ni fedd y nefoedd wae a â'n ofer,

ac ambell bennill hudolus ei dlysni, fel hwn :

Cei wrando sibrwd dwyffrwd y dyffryn,
Y su o'r briodas a'r berw wedyn ;
O bell ar drumell canlyn â'th dremyn
Wyrni eu rhawd rhwng graean a rhedyn.
Lle try eu lli tua'r llyn cei ddwsmel
Melodi'r awel ym mlodau'r ewyn.

Penillion fel hwn sy'n ei gwneud yn anodd inni ddeall pam y cefnodd y bardd mor llwyr ar y gynghanedd a mesurau Cerdd Dafod.

(ii)

GERALLT GYMRO

Hon oedd y bryddest fuddugol yn Eisteddfod Wrecsam 1912. Gellir casglu wrth y beirniadaethau nad oedd llawer o gamp ar y saith bryddest a anfonwyd i'r gystadleuaeth hon i'w cloriannu gan y Parch. Ben Davies, Syr Edward Anwyl a Gwili. Cytuna'r tri mai pryddest *Llinor* yw'r orau, ond braidd yn brin eu canmoliaeth yw'r ddau gyntaf. Gwili yw'r unig un a welodd fod yma ' fardd dan gamp,' a bod ei bryddest yn ' haeddu cwmni gwell.' Â yn ei flaen i ddweud : ' Y mae'i Gymraeg yn gyfoethog, ei arddull yn glasurol, a'i gyffyrddiad agos o hyd yn gain.'

Eithr testun gwahanol iawn oedd hwn i'r ' Mynydd,' ac ni roddai gyfle i ddychymyg bywiog y bardd ifanc. Ni allai, ond i raddau cyfyng iawn, ddefnyddio'r cymeriad hanesyddol ag ydoedd Gerallt Gymro i adlewyrchu ei athroniaeth a'i brofiad ei hun, ond y mae'r ffaith iddo lwyddo cystal ar destun mor wahanol yn brawf o fywiogrwydd ei awen a'i ddisgyblaeth arno'i hun. Cerdd wrthrychol ydyw, o raid, a'r pedwar caniad sydd iddi yn adlewyrchu agweddau ar fywyd Gerallt : I. Caer Baris, lle myfyria Gerallt ar ei orffennol a'i obeithion ; II. Tŷ Ddewi, lle darlunir ei uchelgais a'i siom ; III. Caerlwytgoed, sy'n sôn am Gerallt yn derbyn anrhydedd duwies Llên ; IV. Maenor Bŷr, myfyrdraeth uwch ei fedd ym Mhenfro. Er mor draethodol ar un olwg yr ymddengys y cynllun hwn, rhaid cydnabod ei fod yn rhoi cyfle i'r bardd i sôn am agweddau mwyaf arwyddocaol bywyd Gerallt, a dywaid un o'r beirniaid fod y cynllun ' yn dangos dyfais y bardd, ac yn dwyn diddordeb a newydd-deb i lwybr yr hanes.'

Canwyd pob caniad ar fesur gwahanol, yn cynnwys amryw o fesurau odledig, a rhannau helaeth ar y Mesur Moel, ac y mae'r gwahanol fesurau yn adlewyrchu yn bur dda gywair y gwahanol adrannau. Ni ellir honni bod y canu yn cadw ar lefel uchel ar hyd y gerdd, a cheir yma, fel y dywaid un o'r beirniaid ' aml bennill sychlyd ac afrwydd,' ond ceir hefyd aml bennill cain a

hyfryd. Hwn, er enghraifft, yn disgrifio breuddwydion cynnar
Gerallt :

> Gwelodd ei lwybyr ar draws y blynyddoedd,
> A'r llawrwydd o bobtu'n ir ;
> Coron serennog ar orwel ei nefoedd,
> A'r wybren yn ddwyfol glir.
> Gwelodd ei enw ei hun yn disgleirio
> Ar enw ei wlad ynglŷn ;
> Cainc anfarwoldeb yn werdd yn ei ddwylo,
> Ac yntau a Chymru'n un ;

a'r ddau bennill hyn sy'n sôn am ei ' aberth hwyrol ar allorau
llên' :

> Ac weithion yn ei henoed, i'w anwylyd
> Sibrydodd eiriau olaf calon hen ;
> Ac ymddiriedodd gyfrinachau bywyd
> Yn berlau amris i drysorfa Llên.

> A gwelai'i wobrwy yn ei llygaid hithau,
> Pan dwnnai anfarwoldeb ar ei gwedd ;—
> Bydd enw Gerallt llên ar fin yr oesau
> Pan huno Gerallt rhyfel yn y bedd.

A'r pennill hwn o'r myfyrdod ar lan ei fedd :

> Gwelais ef fel hydd yr helfa
> Yn Nhyddewi'r olaf waith,
> Ac yn canfod dinas noddfa'n
> Bario'i dôr ar ben y daith.
> Gweld cymrodyr ar y muriau,
> A dialedd ar eu dur,
> Yntau'n ffoi o sŵn y saethau
> I ddirgeledd Maenor Bŷr.

Dywaid Gwili wrth ddyfarnu'r wobr : ' Teimlir fod barddon-
iaeth oes Gerallt yn y gerdd benigamp hon, a'r rhyddiaith wedi ei
adael i'r hanesydd,' ac o'i hail-ddarllen ymhen hanner canrif a
mwy, teimlir fod yma ddarlun artistig a chrefftus o Gerallt
Gymro, ond o'r pedair cerdd eisteddfodol hon sy'n dweud leiaf
wrthym am yr awdur, ei ffordd o feddwl a'i ymateb i fywyd, ac

anodd i neb fyddai adnabod awdur y cerddi a'r rhigymau wrth ei darllen. Yr argraff a rydd y gerdd hon yw bod yma grefftwr cydwybodol wedi mynd ati i lunio cân ar destun braidd yn anghydnaws, wedi darllen yn helaeth nes meistroli ei bwnc, yna wedi trefnu ei bethau yn dda a chanu mor raenus ag y gallai, ond heb lwyddo i fynegi llawer ohono'i hun yn ei gân. Yr unig beth a allai ein helpu i adnabod y bardd diweddarach yn y gerdd hon fyddai sylwi'n ofalus ar ei geirfa. Condemnir yr awdur gan ei feirniaid am ddefnyddio geiriau fel *sifalri, seintwar, ces* (=cefais), *dwynsiwn*, ond dyma'r union fath o eiriau sy'n britho'i rigymau, ac y daethom i'w cysylltu'n naturiol ag ef yn fwy na'r un bardd arall.

(iii)

ERYRI

Awdl fuddugol Eisteddfod Bangor 1915. Pedair awdl yn unig a anfonwyd i gystadleuaeth y Gadair y flwyddyn honno, i'w cloriannu gan Yr Athro J. Morris-Jones, Mr. T. Gwynn Jones a'r Parch. J. J. Williams. Barnai John Morris-Jones mai'r rheswm pennaf am y prinder cystadleuwyr oedd ' fod y testun megis wedi ei ddihysbyddu i'r to presennol yn y ddwy gystadleuaeth a fu mor ddiweddar ar *Y Mynydd* a *Gwlad y Bryniau* ' ac â ymlaen i egluro mai ' efelychiadau o ddull a modd awdl gadeiriol *Gwlad y Bryniau* ydyw tair o'r awdlau hyn . . . a'r bedwaredd yn dilyn yr hen rigolau heb ddim rhagoriaeth . . .' I'r gystadleuaeth hon yr anfonodd T. H. Parry-Williams y gerdd i ' Eryri ' a alwodd yn ' awdl gromatig,' gan ddechrau â'r pennill annisgwyl :

> Fy nghalon gan liw sydd mewn caethiwed,
> Heb efyn na mur, heb fan ymwared,
> Pob loes gâi einioes, ar liw y'i ganed,
> Pob heinus orffwyll, pob poen a syrffed,
> Serch a bâr. Ar y pared mae'r awron
> Liwiau'r galon a'i dolur i'w gweled.

Awdl ydyw ar gynllun y tri lliw, llwyd, rhudd a gwyn, a hyn a roddodd gyfle mor wych i fin gwatwareg J. Morris-Jones : ' Goddefer i mi ddywedyd ar y cychwyn mai rhodres noeth (*affectation*) yw arfer term fel "awdl gromatig"—y llanc yn dangos ei ddysg, fel y dengys ei *gleverness* yn llunio'r ffugenw

(Rhuddwyn Llwyd) o'r tri lliw a ddefnyddia. A pham dri?
Beth am liw glas? A'r melyn? A'r gwyrdd? Ni ellir peidio â
theimlo o hyd mai *artificial* hollol yw'r ymgais o geisio darlunio
bywyd yn Eryri megis â rhyw *three-colour process* . . . Ni welaf fi
fod i'r awdl hon wir unoliaeth namyn unoliaeth ffurfiol (bron na
ddywedwn ffugiol) cynllun y tri lliw.' Ar ôl y fath storm, a'r
mellt o eiriau Saesneg yn ei goleuo, rhyfedd braidd yw i'r athro
fodloni i ddyfarnu'r Gadair am yr awdl hon, ac iddo ei chynnwys
wedyn yn un o'r deg o Awdlau Cadeiriol Detholedig 1900—1925.

Nid yw ei ddau gyd-feirniad mor llawdrwm ar y cynllun, er
bod T. Gwynn Jones yn dywedyd nad yw'r disgrifiad 'awdl
gromatig,' a'r arweingerdd ar liw yn 'llwyddo i'w chlymu yn un
cyfanwaith,' a bod J. J. Williams yn gofyn, 'Onid oes ynddi
ormod o ymdrech am gywreinrwydd cynllun?' Cytuna'r tri
beirniad fod gwybodaeth yr awdur o'r iaith Gymraeg yn
eithriadol i gystadleuydd am y Gadair, ond ei fod yn syrthio'n
rhy fynych i'r demtasiwn o'i dangos allan, gan roi'r argraff yn
aml mai llefaru er mwyn arfer geiriau y mae yn hytrach na
thraethu neges. Nodir gwendidau eraill hefyd. Teimlai T.
Gwynn Jones 'fod y disgrifiadau naturiol a'r teimladau mewnol
yn ffaelu cwbl doddi i'w gilydd,' ac y mae J. J. Williams yn
amau 'ai canu *subjective* fel hyn sy'n taro i destun fel Eryri.' Nid
yw J. Morris-Jones yn gwbl hapus am fod yr awdl wedi ei chanu
i gyd ar yr un mesur, canys mynnodd gael dweud fod yr awdl
wedi ei chanu 'fel y canodd Goronwy *Awdl y Gofuned* ar un
mesur cyn gwybod beth oedd awdl.' Ar y diwedd, wedi peth
petruster bodlonodd pob un o'r tri beirniad i ddyfarnu'r Gadair
am yr awdl hon.

Beth, tybed, fyddai tynged yr awdl pe deuai i gystadleuaeth y
Gadair mewn Eisteddfod heddiw? Rhyw dybio yr wyf y codai
eto yr un cwestiynau, ac y parai yr un anesmwythdra ym meddwl
y beirniaid. A'r rheswm am hynny yw mai bardd sydd yma wedi
dyfod at ei destun ar hyd ffordd hollol newydd nad oedd neb
wedi ei throedio o'r blaen, ac na allai neb ond efe ei throedio.
Dyma felly enghraifft arall, fel awdl 'Y Mynydd,' sy'n dangos
bardd yn gafael yn ei destun a'i ddefnyddio i draethu neges sy'n
amlycach yn ei galon ei hun nag yn y testun. Ac o sôn am neges,
nid oes yr un o'r beirniaid yn awgrymu beth yw neges yr awdl,
nac, yn wir, fod ynddi neges o gwbl. Y mae modd darllen yr

awdl yn unig fel disgrifiad o Eryri yn ei gwahanol dymherau, ond y mae pennill ola'r gerdd a'i sôn am ' dwym ddwyfron ' a ' diofryd ' ac ' anwylo gwylltineb tir fy mebyd ' yn awgrymu fod yma rywbeth llawer dyfnach, nid annhebyg i'r peth a ddisgrifir yn y soned ' Moelni,' bymtheg mlynedd yn ddiweddarach, y brogarwch cynnes a chryf sy'n brigo'n barhaus mewn cerddi fel ' Hon.' Gellir dal bod y thema hon, sydd mor amlwg yn holl ysgrifeniadau'r bardd, eisoes i'w gweld yn egino yn awdl ' Eryri.'

Y mae ysgolheictod y bardd yn amlwg iawn yn y gerdd. Y mae'n dangos ei fod yn bur drwm dan ddylanwad y Mudiad Rhamantaidd. Nid pawb o feirdd yr Ysgol honno a wyddai sut i ddefnyddio ei geirfa, ond y mae'r awdl hon yn llawn o eiriau fel *owmael, ffumer, swmer, adolwyn, husting, gortho, caregl, tudded, samwin, darmain, murnio, allwyn*, etc. a'r cwbl yn cael eu defnyddio, nid fel geiriau marw o eiriadur, ond fel geiriau byw o lenyddiaeth. Ac nid yr eirfa'n unig, ond y gystrawen a'r arddull hefyd, a'r feistrolaeth ar gymhlethdod y gynghanedd. Ni ellir osgoi'r argraff yn aml wrth ddarllen y gerdd fod yr awdur wedi gwirioni ar sŵn geiriau a miwsig cynghanedd ac mai eilbeth ganddo yw ystyr yr hyn a draethir. Rhaid cydnabod hefyd nad yw'r awdl, oherwydd hynafiaeth ei geirfa a dieithrwch ei hawyrgylch, yn hawdd ei darllen, ond ceir ynddi aml bennill hyfryd iawn, megis hwn sy'n ddarlun mor glir a byw o fis Tachwedd yn y mynyddoedd :

Trwy Dachwedd a'i sŵn disgynnai dwndwr
Prudd a dwys acen preiddiau diswcwr,
A'u trem yn hurt, i ddenu'r tyddynnwr
O'i dirion glwyd i'w harwain i glydwr,
Rhusiai dail yn fawr eu stŵr, fel o flaen
Tân crŷn, oni baent yn crino'n bentwr.

Neu hwn am Eryri dan eira :

Sgyfarnog ofnus gâi frwyn y gefnen
Yn rhith tonnog wyrthiau tan y garthen,
Ac oer a distaw o dan ei phawen
Oedd eira unnos a'i lios bluen.
'Roedd pob rhiw'n Eryri wen dan gwnsallt
Gwyn, a gorallt o dan gnu ac arien.

Y mae'r pennill olaf, y cyfeiriwyd ato eisoes, gyda'r gorau sydd yn yr awdl i gyd, ac yn glo ardderchog i holl thema'r gerdd :

> Â thwym ddwyfron y gwneuthum ddiofryd
> I garu fy mhau fel gwyrf fy mywyd ;
> Anwylo gwylltineb tir fy mebyd,
> Ei lwyn a'i afon a'i lynnau hefyd.
> Ac yn nyfnder ei weryd gwn y caf
> Ei gusan olaf megis anwylyd.

Nid yw'n syn i'r bardd ymwrthod wedyn â'r eirfa hynafol a rhamantaidd : ffasiwn cyfnod oedd honno, a ffurf o rodres diniwed, ond yr enigma fawr unwaith eto yw paham y gallodd un a'i profodd ei hun yn feistr mor fedrus ar y gynghanedd gefnu mor llwyr arni wedyn.

(iv)

Y DDINAS

Pryddest fuddugol Eisteddfod Bangor 1915. Yr oedd testun y Goron yn agored y flwyddyn hon, a derbyniwyd 29 o bryddestau i'r gystadleuaeth. Y beirniaid oedd Alafon, Gwili ac Eifion Wyn, ac un o uchaf bwyntiau enwog beirniadaeth eisteddfodol y ganrif hon yw'r anghytundeb a fu rhyngddynt. Cytunai Alafon a Gwili, nid yn unig mai pryddest *Alwyn Arab* (T. H. Parry-Williams), 'Y Ddinas', oedd yr orau, ond hefyd ei bod yn deilwng o'r Goron. Cytunai Eifion Wyn mai hi oedd yr orau, ond ni fynnai ddyfarnu'r Goron amdani, ac, fel y sylwa'r awdur ei hun mewn rhagair i argraffiad 1962 o'r bryddest, ' fe'i condemniwyd hi'n ddiarbed gan Eifion Wyn, a hynny mewn darn o ryddiaith arbennig o rymus a chyffrous.' Y mae'r darn hwnnw'n werth ei ddyfynnu : ' Cyfynga'r bardd ei hun i arweddau tristaf ac aflanaf bywyd. Ni thrig dim da yn ei Ddinas. Anobaith sydd yn ei phyrth ac anfoes yn ei phalasau. Chwiliais hi'n fanwl, a theml ni welais ynddi, na ffydd, na chariad, na hawddgarwch. Onid oes ysbrydoliaeth mewn daioni, a deunydd barddoniaeth mewn pethau pur ? Awgryma'r gerdd hon nad oes. Cynwysa, ym mhob caniad, olud o iaith a meddwl, ond iaith ydyw wedi ei throi yn drythyllwch a meddwl wedi ei ddarostwng i oferedd. Hi yw'r alluocaf a'r huotlaf yn ddiamau ; ond ni wna ei darllen les i ben na chalon neb. Nid yw ei chynnwys yn llednais, na'i dysg yn ddiogel, na'i thôn yn ddyrchafedig, ac am hynny ni fedraf fi ei dyfarnu'n deilwng o urddas Coron Eisteddfod Genedlaethol Cymru.'

Pa fath gerdd, ynteu, oedd hon, i gynhyrfu'r fath deimladau ? Am achlysur a chefndir y bryddest dywaid yr awdur : 'newydd ddychwelyd o fod yn fyfyriwr ym Mharis yr oeddwn ar y pryd, tua dechrau'r flwyddyn 1914 : dyna, ond odid, pam y dewisais y testun.' Darlun o fywyd dinas debyg i Baris yw'r gerdd. Gosodwyd iddi'r is-deitl 'Nwyd Anfarwol,' a chenir dan bedwar pennawd : I. Llafur—lle disgrifir y gweithiwr wedi syrffedu ar undonedd a chaethiwed ei waith ; II. Celf—lle sonnir am yr artist yn chwilio'n ofer am fodlonrwydd ; III. Pleser—y ferch deg yn mynd yn aberth i nwydau'r ddinas ; IV. Moeth—y ferch foethus yn meddwi ar gysuron y ddinas yn ddihidio o boen eraill.

Cân realistig yw hon, wedi ei chanu i gyd, heblaw pedwar pennill ar y dechrau, yn y Mesur Moel, a'r argraff a gawn yw bod y mesur yn gyfrwng ystwyth a hwylus yn nwylo'r bardd i ddisgrifio pethau yn fyw iawn, ac y mae'r ymadroddi yn gyhyrog. Ymson y llafurwr :

> Mwynach oedd
> Llafurio fel y peiriant gydol dydd,
> Ac yfed i'w anghofio yn yr hwyr,
> Na meddwl a breuddwydio am ryw wawr
> Heb wawr i ddyfod.

> Pa ddyn, a dwyfol chwant
> Am ryddid enaid ac ehangder maith
> I hwnnw hedeg ynddo, a allai fyw
> Yn llyffetheiriau tyn y ddinas fawr,
> A'i galon yn crebachu . . . ?

Rhoddir mynegiant yma yn barhaus hefyd i rai o'r cwestiynau sylfaenol sy'n blino dyn o oes i oes :

> Ond paham y rhoes
> Y nefoedd iddo freuddwyd yn y nos
> I ddeffro nwyd anfarwol yn ei fron
> A'i adael yn ddigymorth ?

A dyma fynegi methiant yr artist :

> Safai'r pinacl pell
> Yn syth â'i fys i'r nefoedd ; ond 'roedd delw
> Farmor yn yfflon ar yr aelwyd oer,
> Ac allor heb offeiriad yno mwy.

Dyma ddallineb y ferch foethus :

> Ni wêl hi
> O fynydd ei sancteiddrwydd wastad maith
> Lle mae gewynnau bywyd yn llesgáu,
> A'r parddu ar wynebau ac ar foes.

A dyma'r gair olaf am breswylwyr y ddinas :

> Yn llaid y gwter ac yng ngerddi'r plas
> Tyf egin y dinaswyr. Yn nhristâd
> Y gladdfa drymllyd mae'u hynafiaid hwy
> Yn darfod marw ac yn dechrau byw,
> Heb waith, heb gelf, heb bleser a heb foeth—
> A dim ond dinas rhwng y crud a'r bedd.

Hon, mi gredaf, yw cerdd eisteddfodol aeddfetaf y bardd, ac y mae arni lawer camp. Yn un peth, y mae'r iaith yn syml ac addas. Yn wahanol i'r awdlau ni cheir yma ddim hynafiaeth na dieithrwch yn yr eirfa, ond yn hytrach, fel y gwedda i'r testun, cawn yma gyfoeth o iaith ystwyth, fyw, yn llawn o eiriau llafar lliwgar y stryd, geiriau fel *hers, mosiwn, clap-trap, dihitio, sgwrsio, cracio,* a elwid gan un o'r beirniaid yn ' eiriau annewisol ' ond a rydd liw a bywyd i'r gerdd, ac a ddaeth, ers blynyddoedd, yn un o nodweddion cyson ymadroddi'r bardd mewn ysgrif a rhigwm. Ceir yma hefyd ddisgrifio manwl, clir, gwrthrychol, realistig o fywyd dinas, nid fel y carem ei gweld ond fel y mae mewn gwirionedd. Yr oedd y canu plaen di-lol hwn yn beth go newydd. Arfer y beirdd oedd peintio'r darlun delfrydol y dymunent ei weld. Bugail felly oedd un Eifion Wyn yn ei awdl, ac ni allai ef ddygymod â gweld defnyddio'r offer barddol i ddisgrifio bywyd yn ei hagrwch fel y mae. Cychwynnodd y bryddest hon ffordd newydd, braidd yn herllyd weithiau, o gyfeirio at fywyd, a ddaeth yn amlycach fyth yn y cerddi, e.e.

Beth ydwyt ti a minnau, frawd,
Ond swp o esgyrn mewn gwisg o gnawd ?

Yn y bryddest hon hefyd gwelir gallu'r bardd i fynd i mewn i
sefyllfa ei gymeriadau a mynegi eu hadwaith i'w hamgylchiadau.
Dywedir mai'r prawf gorau o fawredd bardd yw ei allu i'w
uniaethu ei hun â'i gymeriadau, ac os yw hynny'n wir y mae
gan awdur ' Y Ddinas ' gryn hawl i'w gyfrif yn fardd, canys
llwyddodd yn rhyfeddol i ddisgrifio cymhellion gwahanol
breswylwyr ei ddinas, gan arddangos ehangder cydymdeimlad a
dyfnder ymwybod ag amrywiol brofiadau dyn.

Y casgliad y deuwn iddo, felly, yw hyn : er na allai neb yn 1915
wedi darllen y pedair cerdd eisteddfod broffwydo pa fath
gyfraniad a geid gan eu hawdur, eto i gyd, ar ôl derbyn y grawn
aeddfed am ddeugain mlynedd a mwy, gellir edrych yn ôl a
gweld yn y cerddi cynnar yr egin a roddodd inni'r cynhaeaf yn ei
bryd.

BARDD Y RHIGYMAU A'R SONEDAU

gan ALUN LLYWELYN-WILLIAMS

(i)

MAE'n debyg mai gyda'r rhamantwyr mawr y dylem restru Syr Thomas Parry-Williams. Ar un olwg, mae ei holl waith barddonol yn cydymffurfio'n ddestlus â'r deffiniad adnabyddus hwnnw a gyfyngodd destunau'r prydydd telynegol o Gymro i'r tair agwedd ar hiraeth a geir mewn serch, bro, ac angau. Bro ac angau, mae'n ddiau, beth bynnag am serch, fu'r ddau gynhyrfiad amlycaf i'w ddychymyg creadigol. Yn enwedig bro. Bydd Rhyd-ddu bellach, tra pery'r iaith Gymraeg, yn dalaith o deyrnas y meddwl i'r Cymro, yn un o'r ardaloedd lledrith sy'n agor ar gyffroadau mawr y dychymyg yn ein profiad fel cenedl. Ond os oes raid cyfrif Parry-Williams yn rhamantydd, rhaid cydnabod hefyd fod trawsgyweiriad pwysig wedi digwydd i'r rhamantiaeth Gymreig yn ei farddoniaeth ef. Yn nifrifolder a dwyster ei sgeptigiaeth, y mae'n bersonoliaeth brydyddol gwbl arbennig.

Bu'n fwy diweddar na'i gyfoedion yn cyrraedd i'w lawn aeddfedrwydd fel bardd. Pan ymddangosodd ei gyfrol gyntaf o gerddi ym 1931, 'roedd Parry-Williams yn ŵr canol oed. Yn y gyfrol honno cafwyd cynnyrch deng mlynedd a mwy o lafur prydyddol ymroddgar wedi'r gorchestion eisteddfodol cynnar ar awdl a phryddest a ddaeth â'i enw gyntaf i fri, a gwelwyd ar unwaith fod yna newid trawiadol o'r pwyslais ar y teimlad, yr honnai'r rhamantwyr sefydledig ei fod yn unig fater cân, i'r gofal am fyfyr dadansoddol sy'n hawlio ymateb ac ymrwymiad y deall yn ogystal â'r ysmudiad. Gellir dangos arbenigrwydd Parry-Williams, a'r gwahaniaeth amlycaf rhyngddo a beirdd mawr eraill ei genhedlaeth, fel hyn : camp fawr ei gyfoedion hŷn, a chynneddf arbennig rhamantiaeth dechrau'r ganrif, oedd trawsylweddu'r profiad dynol yn fath o fyth, fel y troes Gwynn Jones, er enghraifft, ei adwaith i ryfel yn ddrama storïol yn ' Madog ' a ' Cynddilig,' ac fel y dengys y confensiwn serch a arddelid gan Gruffydd a Silyn yn eu pryddestau ' Trystan ac

Esyllt ' ac yn eu telynegion hefyd ; ond pan ddaw'r deall ym-
chwilgar, disgybledig, i chwarae'i ran yn y weithred greadigol,
fel y gwna gyda Parry-Williams, troir y bardd i mewn arno'i
hun a chais ddadansoddi haenau a phlygion ei brofiad o'r tu
mewn. Taflu'r profiad allan megis, a'i ddangos ar sgrin symudol
a wnaeth Gwynn Jones a Gruffydd yntau, ond dadelfennu'r
profiad i'w atgynhyrchu'n gyfanbeth mewnol trwy fyfyrdod a
wna Parry-Williams. Yn hyn o beth, mae wedi agor llwybr i
eraill sydd wedi ei ddilyn i'r ymdeimlad mwy cwestiyngar a
sgeptig sy'n nodweddu'n dyddiau ni.

Profiad arbennig o le, a phrofiad cymhleth iawn—dyna graidd
cerddi bro Parry-Williams, a chroniclo'r ymchwil y maent i
arwyddocâd yr argraff ddofn a wnaeth ei gynefin fynyddig arno
yn ei fachgendod, i'r modd yr aeth moelni'r llechweddau i mewn
i'w hanfod. Mae'n amhosibl osgoi'r gymhariaeth amlwg â
Wordsworth a gysegrodd yntau ei ddawn i draethu'i lên ar y
cwlwm annatod rhwng natur a'r meddwl dynol a brofodd yn ei
lencyndod mewn ardal bur debyg. Yn y cerddi bro, mae Parry-
Williams yn rhodio'n dalog ar ganol un o briffyrdd mawr
rhamantiaeth, ond 'dyw'r daith ddim yn ei arwain ef yn union i'r
un man â Wordsworth am fod ei brofiad o natur yn wahanol.
Ymdeimlai'r Sais â rhyw bresenoldeb dwyfol a moesol mewn
natur, yn enwedig pan sylwai mewn unigedd ar ei phrydferthwch
a'i harucheledd. Bu'r Cymro o dro i dro yn ymdeimlo â rhyw
ddieithrwch arallfydol mewn natur. Nid oedd y ddaear yn
ddaear, meddai, yn Oerddwr, y ffarm ' yn yr amlwg fry . . . ar
daen ar lepen y bryn '—' gan fod amgenach na phriddyn ym
mhridd pob cae.' Yno, 'roedd ' nodau annaearoldeb yn naear y
fan.' Ond math o ddewiniaeth yw hyn. 'Dyw ei gerddi at ei
gilydd ddim yn tystio iddo erioed brofi'r cymundeb ysbrydol â
natur y gellir dweud amdano yn achos Wordsworth, ac, yn wir,
yng ngwaith Gruffydd o ran hynny, ei fod yn weledigaeth
grefyddol ar ryw ystyr ar y greadigaeth.

I'r gwrthwyneb, wrth iddo grwydro'n fachgen hyd lechwedd-
au a chopaon y mynyddoedd mawr a gylchynai ei gartre, nid
harddwch ac arucheledd y golygfeydd a adawodd yr argraff
ddyfnaf arno, ond eu ' hagrwch serchog.' Nid llaw Duw a fu'n
llyfnhau'r llechweddau, ond y cewri, ac er bod eu moelni'n
bresenoldeb cyson yn ei feddylfryd, nid y priodoleddau pell a

mawreddog ar natur sy'n golygu fwyaf iddo, ond y gweddau cynefin a distadl, a'r rhain yn aml, fel y 'ddwy chwarel wedi cau,' yn dwyn cysylltiad â dyn. Yn ei ddisgrifiadau o natur, traethu agwedd ddilornus, fychanol tuag ati a wna Parry-Williams yn fynych :

> Ymlâdd am oriau ym mherfedd Awst . . .

> Mynd i weld lle bu gogoniant coll
> Yng ngheudod y clogwyn—dyna oll.

Dyna ddisgrifio'r ymweliad ag ogof Glyn Dŵr ar Foel Ehedog, ac yn Nant y Benglog, wedi rhestru'n gellweirus yr hen ffordd, a'r heicar, a'r 'pwt o gapel, a'r wraig mewn cwt,' eithaf bwynt y sylwgarwch yw

> Afon Llugwy'n llamsach yn lli,
> Ac yn cludo'i chwysigod gyda hi ;—
> Dyna'r cyfan, am a wn i.

Ceir yr enghraifft orau efallai o'r synio dilornus hyn am natur yn y soned fawr 'Llyn y Gadair.' Nid godidowgrwydd yr amgylchedd sy'n denu ei fryd, ond y llyn ei hun. Ac mae'r llyn 'na wêl y teithiwr talog mono bron ' yn beth di-sylw. Daw grymusterau cudd yr olwg a gaiff arno o'i nodweddion mwyaf cyffredin, o ddim byd :

> Dim byd ond mawnog a'i boncyffion brau,
> Dau glogwyn, a dwy chwarel wedi cau.

Ac eto, yn yr olwg hon ar y llyn, ceir rhyw chwithigrwydd brawychus o'r darlun o'r pysgotwr unig ' fel adyn ar gyfeiliorn,' fel petai ' ar ddyfroedd hunlle'n methu cyrraedd glan,' ac awgryma'r darlun hwn eto ymdeimlad â gallu neu bresenoldeb annaearol sydd wedi meddiannu'r dyn a fentrodd yno. Y gallu hwn hefyd, ond odid, ' y dewin â dieflig hud,' sy'n troi'r olygfa gyfarwydd ar y llyn yn ' nef ' i'r bardd, yn olwg syfrdanol ar ryfeddod y lle ac ar yr un pryd ar wynfydedigrwydd llen-cyndod efallai.

Pam ' dieflig ' tybed ? Mae Parry-Williams fel petai'n ym-glywed yma â'r effaith annisgwyl ac anarferol a gaiff natur arno. Ni all ef ymroi i gyfriniaeth wlanog Wordsworth a'i gyffelyb, a fyn drawsylweddu gogoniannau natur yn byrth agored i fyd

Llyn y Gadair

ysbrydol, ac nid trwy unrhyw gymundeb â natur sy'n arwain rhai at brofiad o rym daionus goruwchlywodraethol y gall ef ymgyrraedd at serenedd. Iddo ef, 'roedd natur o gylch ei gartre yn Eryri yn bennaf oll yn ffenomen gweladwy, yn sylwedd a'i hanfod ynddo'i hun a 'doedd mynyddoedd, creigiau a chlogwyni, nentydd a llynnoedd bro ei febyd ddim yn ymddangosiadau a dystiai i allu eu creawdwr yn gymaint â ffenomenau a dystiai'n unig i'w bodolaeth eu hunain. Mae'n demtasiwn tybio fod y gair ' dieflig ' yn awgrymu fod y bardd am dystio'n agored i'w anallu i dderbyn y gyfriniaeth natur draddodiadol a disgwyliadwy ond ei fod er hynny'n ymdeimlo â grymusterau mewn natur a bair iddo chwilio am ffynonellau i'w foddhad ynddi mewn man amgen na'i harddwch a'i harucheledd.

Rhyw gymysgfa o gyntefigrwydd ac o feddylfryd gwyddonol sy'n nodweddu agwedd Parry-Williams at natur felly, cymysgfa os mynnwn, o ofergoel a sgeptigiaeth. Ond os bu ' henffurf y mynyddoedd ' ac ' amlinell lom y moelni maith ' yn ymwasgu ar ei ymwybyddiaeth ac yn tyfu i mewn i'w hanfod, 'dyw cydnabod dylanwad yr amgylchfyd ar ei bersonoliaeth ac ymostwng iddo ddim yn derfyn ar y proses ymchwilgar. Yn ei gynefin arbennig yn unig y gall dyn iawn sylweddoli ac amgyffred ei hunaniaeth:

> Ni byddaf yn siŵr pwy ydwyf yn iawn
> Mewn iseldiroedd bras a di-fawn.

> Mae cochni fy ngwaed ers canrifoedd hir
> Yn gwybod bod rhagor rhwng tir a thir.

> Ond gwn pwy wyf, os caf innau fryn
> A mawndir a phabwyr a chraig a llyn.

A chan mai yn y pethau dinod hyn y mae sylwedd rhyfeddol y byd a'r bywyd hwn, a'r berthynas rhyngddynt a'r bardd mor agos ac mor ddwys nes bod ei hunaniaeth ef yn dibynnu arnynt, ni ellir dychmygu am unrhyw ddiwedd ar y berthynas ond trwy ymhunanu'n gorfforol â nhw:

> A phan êl fy naear a daear yn un,
> Caf grap ar y cwbl gan y Ddaear ei hun.

Dyna ben draw rhesymegol yr ymdeimlad o fod yn rhan annatod eisoes yn y bywyd hwn o natur fel yr amlygir hi ym mro'r cynefin, ac fe gafodd y gred hon fynegiant cyson gan Parry-Williams ar hyd ei yrfa brydyddol o sonedau'r *Cerddi* (megis ' Moelni ' a ' Tynfa ') hyd yn ddiweddar pryd y bu'n datgan ei argyhoeddiad y bydd y cydymdeimlad naturiol rhwng ei fro ac yntau yn gyffro i'w synhwyro gan ddyn a chan ddaear yn nydd yr angau, am fod ' darnau ohono ar wasgar hyd y fro.' Hyn, mae'n debyg, yw ' hen grefydd y mynyddoedd ' a ' doeth-ineb bagan ' y creigiau a ddysgodd gan ei hynafiaid.

Yn y soned ' Dychwelyd,' un o sonedau mawr y ganrif, y cafwyd y mynegiant perffeithiaf a grymusaf o'r gred. Mae'n soned sy'n gwbl amddifad o gysuron gwiw y ffydd Gristnogol yn yr Atgyfodiad ac yn anfarwoldeb yr enaid, ond y mae'n farddoniaeth ysblennydd ac yn un o'r esiamplau urddasolaf a feddwn yn Gymraeg o'r nihilistiaeth ramantaidd neu'n hytrach o'r negyddiaeth stoicaidd sy'n ddatblygiad anochel i fath arbennig o ramantiaeth. Er bod atyniad diddymdra yn frith trwy ramant-iaeth Ewrob yn y ganrif ddiwethaf, a bod adleisiau ohono i'w canfod yng ngwaith y rhan fwyaf o ramantwyr Cymraeg dechrau'r ganrif, dyma'r datganiad perffeithiaf a dewraf o argyhoeddiad gŵr na all dderbyn yn ddigwestiwn yn yr ugeinfed ganrif gredoau'r ddiwinyddiaeth draddodiadol. Yng ngwead urddasol y llinellau nobl hyn sy'n symud mor gadarn a sicr, mae'n hawdd ymglywed â chysgod y ' moelni maith.' Dyma ddinodedd dyn ynghanol llymder y llechweddau cyfarwydd wedi troi'n ddinodedd mwy ynghanol mawredd a mudandod anferth eangderau'r gofod. Ac y mae'r dyheu anneffiniol sy'n gynneddf ar gynifer o ramantwyr, y dyheu hiraethus hwnnw y gellir dweud amdano ei fod wrth wraidd ' holl drybestod dyn a byd,' wedi ei buro a'i droi yn fodlondeb tawel yn yr ymhunanu â'r tangnefedd a'r llonyddwch eithaf. Nid yw'n gwbl ddi-arwyddocâd efallai fod y bardd yn cyfeirio'n benodol mewn cerdd arall at ei goncwest ar y dyheu hwn, ac yn priodoli ei ryddid rhagddo i'w hynafiaid a'r doniau a etifeddodd ganddynt hwy yn yr henfro, yn eu plith eto crefydd y mynyddoedd a'u doethineb bagan :

A dyna pam, gan gymaint a roed im,
Nad ydwyf yn dyheu am odid ddim.

(ii)

Nid yn hawdd y meddiennir y tawelwch meddwl hwn. Mae dagrau lawer ar lwybr y bererindod, a bywyd ei hun yn llawn trybestod a thrybini a siom. Mewn un sy'n amlwg yn mwynhau cymaint ar fyw ac a ddoniwyd hefyd â hiwmor, gall y diflastod a'r negyddiaeth a fynegir mor gyson yn ei gerddi ymddangos yn ddigymell. Codi y mae, gallwn dybio, o'r ymdeimlad nad oes i fywyd dyn bwrpas amgyffredadwy ar y ddaear hon, nad oes dim i bob golwg ' a bery'n hir ond man a lle.' Ar yr un pryd, mae'n amhosibl anwybyddu'r ymdrech a olyga'r ymchwil am lonyddwch a serenedd i'r bardd. Ambell dro, bydd yn synio'n watwarus fod yn rhaid wrth gymorth o'r tu allan iddo'i hun i ddyn gyrraedd y stad ddedwydd hon o allu derbyn bywyd fel y mae :

> Ein Tad, yr hwn wyt yn y nefoedd, gad
> I mi, a ddodaist ar y ddaear hon
> Ymbil am un gymwynas ddinacâd
> Yn gysur wrth afonydd Babilon.

A'r gymwynas honno yw :

> . . . am i mi, fel Tithau, ambell awr
> Gael llonydd gan holl derfysgiadau'r llawr.

Dro arall, ymddengys y gall y dyn ei hunan feddiannu'r gwynfyd fel y gall feistroli crefft :

> Yn ystod y blynyddoedd, mi ni wn
> A ddysgais un amgenach crefft na hon,—
> Sef rhwystro i boenau'r byd a'r bywyd hwn
> Oresgyn cysegr sancteiddiola'r fron.

Mae'r eirfa grefyddol yn y dyfyniadau hyn yn gyfoethog iawn ei hawgrym, ond arwydd yw'r gair ' crefft ' fod celfyddyd barddoni yn cynnig un llwybr sicr i'r noddfa dawel lle ceir trefn ar bob tryblith. Wrth ymyrraeth â geiriau, meddai mewn un gerdd, y cafodd gip ar ei anian ef ei hun. Creadigaeth dyn yw geiriau ac wrth eu trin hwy gall dyn fod yn dduw. Mwy na hynny, mae celfyddyd yn ' ffynnon o rinwedd ' mewn dyn. 'Dyw'n ' ddim ond ffynnon fach o ddagrau'n lli ' efallai, ond y mae felly am ei bod yn llifo allan o boen a thristwch bywyd, a

thrwy'r dagrau hyn cawn ymollyngdod a rhyddid rhag gormes
' y cybôl di-drefn ' :

> A phan edrycho'r syllwr yn ei dro
> Ar degwch creadigaeth yn y gwaith
> A luniodd awen dyn, ni all efô
> Ei lwyr adnabod ond â llygaid llaith—
> Dagrau sy'n creu holl gelfyddydwaith byd,
> A dagrau sy'n dehongli'r creu i gyd.

Mae'r athrawiaeth am swydd y bardd a arddelir yma, a'r
syniad am waredigaeth neu iachâd trwy gelfyddyd sy'n ymhlyg
ynddi, yn drwyadl ramantaidd, ac felly hefyd y mae'n rhaid
cyfrif dull Parry-Williams o drin yr ail noddfa sy'n ymgynnig
iddo rhag trybestod daear, sef yr Angau. Myfyrdod ar angau,
yn wir, sy'n symbylu'r rhan helaethaf o'i gerddi, yn sonedau a
rhigymau. Nid yr angau sy'n dirgel agor cil y drws ar y posibil-
rwydd o fyd a bywyd arall i feidrolion, ond yr angau fel ffaith
ddiymwad sy'n rhoi terfyn bythol ar fywyd. Mae angau yn
disgyn ar bob meidrolyn ' fel barcud ar gyw ' ac ' ni chaiff yn ei
grafanc ond darfod byw.' Mae'n amlwg ddigon fod hyd yn oed
y gerdd gynnar, 'Yr Esgyrn Hyn', yn traethu argyhoeddiad
dwys er i'r bardd osod ' Ffansi'r Funud ' yn is-deitl iddi. Diwedd
nad oes dianc rhagddo yw marwolaeth ac ni edy ddim ohonom
ar ei ôl ond ' asgwrn ac asgwrn ac asgwrn mud,' ac ni all y bardd
droi, fel y gwnaeth y Salmydd ar fyfyr cyffelyb, am gysur at
drugaredd yr Arglwydd. Yn ei ymwneud â dynion y mae
dirgelwch angau, nid yn y difodiant a ddaw yn ei sgil, ond yn y
noddfa a rydd ei lonyddwch ofnadwy rhag ' ein ffwdan ffôl ' ac
yn yr effaith a gaiff ar hunaniaeth bod ac ar fywyd y sawl sy'n
goroesi dros dro i ddioddef y rhwyg a wna yn ein cyfeillach
fywiol â'n gilydd. Dyma'r dirgeledigaethau sy'n lliwio myfyrdod
Parry-Williams ar ei brofiad o'r gelyn olaf.

Iddo ef, megis i awdur ' Ywen Llanddeiniolen,' yr unig
anfarwoldeb a wêl mewn dyn yw'r atgof amdano a gedwir gan
ei gydnabod. ' Fydd neb ymhen amser

> . . . yn gofyn i'r pedwar gwynt :
> ' Ple mae'r storm o gnawd a fu iddi gynt ? '

Tŷ'r Ysgol, Rhyd-ddu

Yn yr henfro yn Rhyd-ddu, nid natur, nid man a lle, yn unig a fu'n llunio'i bersonoliaeth, ond y gymdeithas hefyd, wrth gwrs, ac yn enwedig cymdeithas y teulu a'r cartre. Rhaid bod perthynas arbennig glos rhyngddo a'i rieni, a bod i'r berthynas honno werth arbennig iawn yn ei olwg nid yn lleiaf efallai oherwydd ei rhan holl bwysig yng nghynhysgaeth ac yn ffurfiant ei feddwl. ' Rhoes ef ei gerdd a hithau ei nwyd i mi,' meddai am ei dad a'i fam, ac y mae rhai o'i gerddi cyfoethocaf yn dathlu'r berthynas hon a'r golled anadferadwy a brofodd o'i dileu. Un nodwedd ar y cerddi hyn yw amharodrwydd y bardd i dderbyn rhwyg yr angau fel dedfryd derfynol ar y berthynas. Rhaid i'r berthynas barhau rywsut :

> Cans tra bo cerdd yn swyn a nwyd yn fflam,
> Bydd gennyf innau ran o dad a mam.

Soned ' Tŷ'r Ysgol ' yw'r esiampl fwyaf cofiadwy o'r ym-deimlad hwn, ac ergyd y gerdd hyfryd hon yw bod yn rhaid cadw'r hen gartre fel y bu pan oedd yn breswylfod y teulu er mwyn sicrhau parhad y gymdeithas o'r naill ochr a'r llall, ac estyn bywyd i'r meirwon yn ogystal â chynnal eu coffâd i'r byw. Ond ni ellir dianc rhag y loes, a bu'r golled yn destun myfyrdod dwys droeon wedi hynny megis yn y cerddi ' Diolchgarwch,' a ' Carol Nadolig.' Yn y ddwy gerdd olaf yma, ceir rhyw fath o gymod ag angau a'i gymryd yn weinyddwr trugaredd sy'n teilyngu diolch am y diogelwch a rydd i'w ddeiliaid :

> Gwych sylweddoli heddiw, a sylweddoli'n glir,
> Na ddaw dim ymboeni mwy i'r ddeuddyn sydd yn y tir.

A chyffelyb yw naws ' Cyfaill,' lle mae'r chwarae â'r gair sy'n deitl i'r gerdd yn pwysleisio tynerwch yr hwn a ystyrir yn Frenin Dychryniadau :

> Oherwydd ni wnaeth yr Angau hwn ddim byd
> Ond cymryd yr ofn a'r einioes i ffwrdd yr un pryd.

> A rhoi ar ddeall i ddeiliaid byd-a-ddaw
> Mai Bywyd ac nid yr Angau yw Brenin Braw.

Cerdd gymharol ddiweddar yw ' Cyfaill,' ond y mae'r cwpledi a ddyfynnwyd yn adleisio un o'r rhigymau cynnar

(' Celwydd ') lle y dychmygir am ddyn ar ddiwedd ei fywyd yn bwrw golwg yn ôl mewn dadrith :

> A gweld nad oedd yn y fynwes ddofn
> Ond serch ac angau a phechod ac ofn ;
>
> Ac angau'n traflyncu'r lleill yn syth,
> Gan wneuthur y gwegi'n wacach fyth.

Un mesur o'r newid agwedd yn y chwarter canrif neu fwy sydd rhwng y ddwy gerdd yw fod y gwegi, a'r chwerwedd a ddynoda, wedi ei lenwi bellach â'r cymod a wnaethpwyd â'r llonyddwch.

Ond y mae cyfeiriad arall hefyd i fyfyrdodau Parry-Williams ar angau. Mae dirgelwch marwolaeth yn fraw a dychryn ac ni thâl ei gymryd yn ysgafn na cheisio lliniaru dim ar ei lun:

> Eto, mae'r ffansi'n bod gan ambell un
>   I'w wisgo â rhyw ffriliau o bob math,
> A'i wneud yn Gadi Ffan, o liw a llun,
>   Fel petai Angau heb na briw na brath.

Myn y deall geisio canfod rhyw drefn ac ystyr yng ngweithrediadau'r angau, ond y mae rhan arall o'n natur yn ymateb yn reddfol i'w arswyd. Yr arswyd hwn sydd wedi cyffroi peth o farddoniaeth fwyaf iasol y byd a pheth o farddoniaeth rymusaf Parry-Williams yntau. Un o'r sonedau angerddolaf a sgrifennodd erioed yw ' Y Gigfran.' Mae'n enghraifft odidog o allu'r bardd hwn i gonsurio'n ddiymdrech i bob golwg rithiau a phryderon dyfnaf y galon ddynol.

> Fe groesai cigfran, dybiwn i, o'r Bedd—
>   Beddgelert—heibio tua'r Garreg Fawr
> Uwchben y pentre gynt, a hollti'r hedd
>   Oedd yn yr hafn rhwng nef a daear lawr,
> Â chrawc o'i chorn . . .

Yng nghyfoeth ei awgrym ac yn amrywiaeth ei foddau, mae'r agoriad yma'n nodedig, a'i effaith yn syfrdanol : y traethiad ffeithiol, syml i ddechrau—' Fe groesai cigfran . . .', yna'r ebychiad cartrefol, ' dybiwn i,' sydd ar unwaith yn bwrw peth amheuaeth ar gyffredinedd diniwed y digwyddiad ; a'r cellwair sydyn

wedyn gyda'r gair brawychus ' Bedd,' a'r brysio ymlaen i symud
ein pryder naturiol trwy egluro'r talfyriad ; y cyfeiriad at y
Garreg Fawr a'r pentre yn ategu'r cartrefolrwydd, ac yna'r
awgrym iasol o arall-fydolrwydd ' yn yr hafn rhwng nef a
daear lawr ' ac arswyd bygythiol y ' crawc o'i chorn.' Yn ei
chyflead o ofergoel ac arswyd ac ofnadwyaeth, sy'n priodol
gyrraedd uchaf bwynt yn y cwpled diweddol, mae'r soned hon yn
deilwng i'w rhestru ymhlith gogoniannau crefft un sy'n feistr ar
eiriau ac awyrgylch.

Mae'r ' Gigfran ' hefyd yn arddangos nodwedd arbennig arall
ar ddawn Parry-Williams, sef ei feistrolaeth ar eironi. Yn aml
iawn, math o amddiffyniad yw eironi rhag angerddolder an-
nioddefol y teimladau, rhag arswyd ein profiad o fywyd ac o'r
olwg a gawn ar gyflwr dyn. Oni allwn ' ymhonni'n Bagan nac
yn Gristion chwaith,' gall anobaith am ddyn na ŵyr eto ' sut i
fesur bach na mawr ' ac sydd a ' grifft o'i ôl yn llysnafeddu'r byd '
fod yn llethol. I Parry-Williams, mae cryn atyniad weithiau gan
rai agweddau ar y ffydd y bu'n rhaid ei gildio. Pan fo'r hen
ganllawiau wedi diflannu a'r gwerthoedd traddodiadol ar chwâl,
erys y cof am sicrwydd ffydd y gwladwr crefyddol gynt ac am
symlder a diffuantrwydd ei addoliad. Bydd dyn yn edrych yn ôl
ar hyn a'i galon yn gymysgfa o hiraeth ac o eiddigedd, o dosturi
ac o amheuaeth.

Trewir y tant yma'n gynnar yn y *Cerddi*; yn wir ceir arlliw o'r
peth yn y gerdd gyntaf oll yn y gyfrol, ' Trindod,' lle y darlunnir
y gwerinwr ar ei lin ' mewn capel gwlad dan pulpud plaen ' :

> Ni welais Iesu na Llaw Duw
>   O'i flaen, pan grymai ar y llawr
> Gan alw ar yr Ysbryd byw
>   Trwy binwydd cefngor y sêt fawr.

Ond yn y gwrthgyferbyniad a dynnir yn y gerdd hon rhwng
tri amlygiad ar grefydd, er bod cydymdeimlad y bardd yn amlwg
â'r ffurfaddoliad a brofodd yn llanc yn ei gynefin, amlycach fyth
yn y darlun yw'r eironi cellweirus yn y llinell olaf. Ac yn ei holl
ymdrin â chrefydd ei blentyndod, er cymaint ôl ei dylanwad hi
ar ei eirfa ac yn wir ar ei dueddfryd, mae'r eironi'n ymwáu, yn
gymysg yn aml â rhyw anwyldeb tuag at awyrgylch a defod a
chymeriadau'r capel gwledig, a'r holl bethau hyn fel petaent wedi

eu troi'n gysegredig gan atgof. Er enghraifft, yn y soned ' Oedfa'r Hwyr,' lle y disgrifir hen wraig mewn oedfa wan ar noson lawog yn ' codi brigyn llwydlas at ei ffroen,' mae'n anodd dweud p'run o'r elfennau cymysgryw sydd gryfaf :

> Yntau'r pregethwr, erbyn tua saith,
>   A lwyr ategai'r Salmydd gynt a'i gri
> Gyntefig mewn cyfyngder lawer gwaith,
>   Wrth ddweud bod Duw yn noddfa a nerth i ni ;
> Ac i'r hen wraig yr oedd aroglau hael
> Sbrig o hen-ŵr yn gymorth hawdd ei gael.

Gellir cynnig enghreifftiau eraill o'r un agwedd meddwl amrywerth, ond ar adegau bydd yr hiraeth am y ddiniweidrwydd goll na ellir mwy ei hadfer bron â bwrw allan yr eironi. Mae'r soned ddiweddar, 'John ac Ann', yn ddrych perffaith o gyflwr dyn yng Nghymru heddiw sy'n gwybod yn ei galon fod yr hen grefydd a'r hen drefn, a'u dull o feddwl ac o ymadroddi, wedi mynd heibio, fod cyfnod yn hanes ein gwareiddiad wedi dod i ben, ac eto'n eiddigeddus o'r eneiniad a'r hyder cysurlon a roddai ffiolau'r ffydd i ddynion ers llawer dydd. John Bach, y gwladwr, ' o flaen yr Orsedd,' ac ' Ann yr emynyddes,' yn tynnu, y naill fel y llall, yng *nghliché* rhaffau'r addewidion :

> Bûm innau'n gwrando droeon ar y gri
>   Oedd yn dwysáu eu herfyniadau hwy,
> Nes bod y pagan oddi mewn i mi
>   Ar dyngu llw y mentrai yntau mwy
> Gyfnewid holl ddeniadau'r ddaear hon
> Am ronyn o eneiniad Ann a John.

Yn amlach na dim, er hynny, eironi'r sefyllfa a gaiff y mynegiant grymusaf, a'i eironi yw un o gyfraniadau mwyaf Parry-Williams i'n barddoniaeth. Fe'i harferir yn feistrolgar yn ôl y galw at amryfal agweddau ar fyw ac ar feddwl—crefydd, natur, pobl, a Chymru hefyd yn ei hargyfwng arbennig hi. Gellid gwneud rhestr hir o gerddi sy'n arddangos y ddawn iachusol hon ar waith a rhai ohonynt ymhlith y darnau barddoniaeth mwyaf cofiadwy, a'r mwyaf angerddol hefyd, a sgrifennodd—' 1904,' ' Adar a Blodau,' ' Bilidowcars,' ' Dic Aberdaron,' ' Jezebel,' ' Yn rhad yr ymwerthasoch,' i nodi'r enghreifftiau enwocaf efallai. Un dull effeithiol iawn sydd ganddo o ddefnyddio'i eironi yw trwy atgynhyrchu, mewn iaith uniongyrchol a geirfa gartrefol sy'n adleisio'n awgrymog ymadroddion iachus cymdeithas goll sydd eto'n glynu yng nghof cenhedlaeth iau, awyrgylch gyfarwydd arbennig ac ar yr un pryd yn ei datgymalu a'i dinoethi trwy roi tro annisgwyl i'r ystyr. Ceir enghraifft odidog o hyn yn y gerdd sy'n cynnig sylw deifiol ar ddiwygiad crefyddol 1904 :

> I'r cynteddau â mawl yr eid, ac â diolch i'r pyrth,
> Ac yn sgil yr Ymweliad fe gleinsiwyd gwyrth ar ôl gwyrth.

Yn y cyferbyniad annisgwyl rhwng y cyfeiriad cyfarwydd a pharchus-ffurfiol at y Salm a'r dewis o'r gair ' cleinsio ' sy'n tanseilio'r gwyrthiau sy'n dilyn y daw'r effaith yn y cwpled hwn· Ac eto'r un modd :

> Cnawd ac ysbryd yn gyrru, bob un â'i chwip,
> Yng ngherbyd yr Iachawdwriaeth fel dau ar drip,

lle y gwatwerir urddas cnawd ac ysbryd gyda'r gymhariaeth â'r ' ddau ar drip,' ac odli ' trip ' a ' chwip ' yn tynnu sylw at ochr ddigri ac iselradd ymdaith cerbyd yr Iachawdwriaeth. Hanner canrif yn ôl, mae'n debyg y gellid cymryd y cwpled hwn yn eiriau sobrwydd a gwirionedd, ond yn y gerdd hon mae'r cwbl yn creu ystyr ddifaol, arswydus o newydd yn y diweddglo. Yn hyn o beth, gellir dweud fod ' 1904 ' yn fwy celfydd ei waniad nag ' Adar a Blodau,' dyweder, ond mae'r grefft yn fawr hefyd yn y gerdd honno (neu'n hytrach yn y pâr hwnnw o gerddi) ac y mae i'w gweld nid yn unig yn y disgrifiadau ffeithiol, dilornus o'r brain ac o'r lili, (' lili'r dŵr, ac nid lili'r maes '), ond yn bennaf ac yn fwyaf cyfrwys yn y trawsgyweiriad bach, di-sylw bron, a wneir yn y ddau gwpled diweddol o'r naws wyddonol, ddi-ffrwt i'r naws ysgrythurol :

> Y mae adnod yn honni bod Crist wedi dweud,
> ' Ystyriwch y brain,'—a dyma fi'n gwneud.

> Mae'r Ysgrythur yn tystio i'r Iesu ddweud,
> ' Ystyriwch y lili,'—ac wele wneud.

' Cerdd Nadolig ' yw'r gerdd fwyaf angerddol yn y dosbarth hwn, am ei bod yn cyffwrdd â dirgelwch ofnadwy yr Angau ei hun ac yn ei gyfleu mewn geiriau chwerw, llosg, a leddfir yn y diwedd gan sobrwydd tawel eironi'r ymostwng i'r drefn. Cerdd sy'n gyforiog o deimladau cyfnewidiol cryf yw hon, a cheir yr un amrywiaeth awgrymog yn nhymer y meddwl yn ' Jezebel,' a hyd yn oed yn ' Dic Aberdaron,' er mor wahanol i'w gilydd yw testun a chyfeiriad y ddwy gerdd hyn. Mae pobl frith yr ymylon, fel Jezebel a Dic Aberdaron a'r Ferch ar y Cei yn Rio, yn gymeriadau sy'n apelio'n gryf at ddychymyg ac at dosturi Parry-Williams, ond prin y gellid meddwl am sylw mwy dychrynllyd (ym mhriod ystyr y gair) ar oferedd ' ein ffwdan ffôl ' yn ein holl lenyddiaeth na'r diweddglo i'r ddwy soned ar Jezebel, lle mae'r eironi cignoeth yn greulon i'w ddarllen ac yn deilwng i'w gymharu â thrawiadau mwyaf deifiol meistr arall ar y grefft hon, sef Evelyn Waugh :

> ' Cyfodwch,' oedd ei gri, ' cleddwch hi'n awr,
>   A chofiwch am ei thras. Ewch, canys merch
> I frenin ydoedd hi ' . . . Nid oedd ar ôl
>   Ohoni ond ychydig ddarnau, fel
>   Na ellid dwedyd ' Dyma Jezebel.'

Eto, ar dro, mae'r eironi'n torri i lawr. Ni welir hynny'n gliriach yn unman nag yn y gerdd ryfeddol i Gymru, ' Hon.' Daethpwyd â phob cynneddf ar ddawn y bardd, a phob gwedd ar ei bersonoliaeth gymhleth, ynghyd yn y gerdd hon—ei sgeptigiaeth, ei amheuaeth ddwys o bob eithafiaeth a dogma, ei eironi, ei ddyhead am lonyddwch, ei ymhunanu â'i gynefin, a hon yw'r gerdd sy'n rhoi'r mynegiant mwyaf cyflawn a boddhaol i'w brofiad o afael cadarn bro ei febyd ynddo. Ac i Parry-Williams, megis i lawer o'r rhamantwyr eraill, bro mebyd yw'r Gymru y mae'n ei harddel. Yn Rhyd-ddu yn unig y gall ef ymglywed â ' lleisiau a drychiolaethau ar hyd y lle,' a thystio'n ddigymell, er na all ddadelfennu'r profiad y tro hwn â'r deall :

> Ac mi glywaf grafangau Cymru'n dirdynnu fy mron,
> Duw a'm gwaredo, ni allaf ddianc rhag hon.

(iii)

Cyfyngwyd maes yr ysgrif hon i waith prydyddol ail gyfnod Syr Thomas Parry-Williams fel bardd, i'r cwbl a gyhoeddwyd yn y *Cerddi* ac o hynny ymlaen. Mae'n ddiogel gennyf na ddylid gwahanu rhwng mydryddiaeth a rhyddiaith greadigol y bardd hwn. Agwedd meddwl yw barddoniaeth yn y bôn, ac nid mater o fydr ac odl yn unig, nac yn bennaf. Yn sicr ddigon, yr un gynneddf farddonol a fynegir yn ysgrifau Parry-Williams ag yn ei gerddi. Tasg unochrog ac annigonol fydd ceisio mesur camp ei awen a dynodi ei hansawdd arbennig o ystyried yn unig ei waith ar fydr fel petai hynny'n rhan ddigyswllt o'i athrylith gyflawn, ac eto i gloi'r sylwadau hyn yn weddol daclus rhaid mentro deffinio cyfraniad nodweddiadol y cerddi i'n treftadaeth lenyddol.

Gelwid Parry-Williams yn briodol iawn yn fardd myfyrdod. Trwy'r cyfnod diweddar, ers tua 1919-20, fe'i cyfyngodd ei hun bron yn gyfan gwbl i ddwy ffurf ar fydryddu sef y soned a'r hyn a alwod ef ei hun yn ei ddull diymhongar, direidus, yn rhigwm. Dwy ffurf addas i fyfyrdod, a dylid sylwi mai estyniad addas ar y rhain yw'r ysgrif. Bu'r soned erioed yn gyfrwng mynegiant i farddoniaeth fyfyriol, ac wrth ymgymryd â hi 'roedd Parry-Williams yn troi felly at ffurf barod wrth law. Daeth yn bencampwr arni, yn un o'r meistri mwyaf arni a welwyd yn Gymraeg, ac a welir byth, mae'n debyg. Un pwynt diddorol yw mai'r patrwm Shakespearaidd sydd i sonedau Parry-Williams i gyd. Yr unig amrywiad a ganiataodd iddo'i hun yw'r sonedau diweddar i Jezebel sy'n ddi-odl ar wahân i'r cwpledi diweddol. Mae rhyw urddas arbennig, rhyw ffurfioldeb defodol, yn perthyn i'r soned hyd yn oed pan ystwythir hi i'r eithaf, a gall ei ffurfioldeb fod yn anaddas i rai mathau o fyfyrdod. 'Roedd angen ffurf arall i gynnal ar dro fyfyrdod hwy, neu dro arall i gyfleu sylwadaeth fwy cryno megis yn y dyddlyfr taith. Cafwyd hon yn y cwpled odledig y gellir ei ddefnyddio'n hwylus at y naill bwrpas a'r llall yn uned sylfaenol mewn cân fer neu hir yn ôl y galw. Mwy na hynny, 'roedd y cwpled, o'i ganu'n gyfresi, yn gyfrwng perffaith nid yn unig i ymryddhau o ffurfioldeb allanol y soned ond hefyd i lafareiddio'r eirfa a chreu dull mynegiant mwy esgyrniog ac uniongyrchol.

Am a wn i nad dyma'r gymwynas bennaf a wnaeth Parry-Williams â'n barddoniaeth. Gwnaeth chwyldro iachusol yn yr iaith farddonol, fe'i hadfywiodd a'i chyfoesoli'n rymus. Nid y delweddau a'r cymariaethau sy'n gadael yr argraff ddyfnaf ar ddyn wrth ddarllen ei waith, er eu bod hwy yno, bid sicr, a llawer ohonynt, fel ' yr adyn ar gyfeiliorn,' yn eplesu'n rymus yng nghof pawb ohonom. Ehangder syfrdanol ei feistrolaeth sicr ar y Gymraeg, yn llên ac yn llafar, yw ei gamp arbennig, dybiwn i. Ar y naill law, mae urddas ffurfiol a llyfnder aruchel iaith lenyddol y sonedau yn creu godidowgrwydd mawr, a rhan o'r godidowgrwydd hwnnw yw'r modd y goleuir haenau annisgwyl o ystyr ym mhrofiad y bardd trwy gyfosod â'i gilydd eiriau gwrthgyferbyniol eu naws a'u hawgrym—*grymuster* y tangnefedd, diddim *diarcholl,* ar *wefl* o graig. Ar y llaw arall, gall Parry-Williams gonsurio barddoniaeth fawr â geiriau ac ymadroddion llafar, a deunydd sgwrs iaith bob dydd bro ei febyd yn Arfon. 'Dyw byth yn ymostwng i ganu mewn tafodiaith sathredig, ond gwêl olud yr ymddangosiadol ddinod a di-sylw mewn geiriau (fel mewn natur) a chyfoeth dychymyg ac awgrym geiriau cartrefol ein sgwrsio beunyddiol. Tyfodd y ddawn hon, yr ymhyfrydu mewn geiriau llafar, gyda'r blynyddoedd, nes bod y cerddi diweddar bron i gyd yn cyfranogi o ryfeddod y gair cyffredin amharchus. Daw enghreifftiau lu i'r cof yn ddigymell : ' Pa ysgrythurgi, os-gwn-i, a fu'n hel dail ? ' ' Beth yw'r ots gennyf i am Gymru ? ' ' Ond howld am funud. Pa ryw glerigwm yw hyn ? ' ' Mae dydd a dyddiau'r baban yn sbleddach i gyd.' Mae'r geiriau a fathodd ef ei hun, megis ' dibendrawdod ' a ' cathmon ' yn gwisgo'r un rhyfeddod ffraeth. Ac at hyn oll, gall gymysgu llên a llafar gyda'r un ystwythder a phriodoldeb aruthr. Un allwedd i orchest ' Carol Nadolig,' er enghraifft, a sonedau Jezebel, yw'r gwrthgyferbynnu godidog a geir rhwng yr eirfa a'r ymadroddi llafar, cartrefol ac amharchus, a'r adleisiau o'r ystrydebau llenyddol Beiblaidd. Mae'r naill yn grymuso difrifolder ac angerdd y llall.

Wrth gwrs, mae'r campau geiriol hyn yn rhan o bersonoliaeth y bardd, ac yn tyfu'n aml, fel mae'n digwydd, o'i wedd eironig at fywyd. Mae ei eironi yn ffraeth, yn ddidderbynwyneb, yn ddewr. A nodweddion *adult* iawn yw'r rhain. Dyna'n union y gair sy'n disgrifio orau farddoniaeth Parry-Williams—*adult*. Ac yntau'n rhamantydd wrth natur, ymwrthododd â breuddwydion rhamantiaeth, a'i niwl hiraethus, a'i hud a'i lledrith.

Edrychodd ar y byd o'i gwmpas ac arno ef ei hun, a mynegodd yr hyn a welodd yno yn wrol onest. Chwiliodd haenau'i brofiad yn drwyadl, ond ni pheidiodd â rhyfeddu at ddirgelwch bod. Ymdeimlodd â'r diddymdra eithaf, ac efô yn anad neb o'n beirdd a roes dafod a llais yn Gymraeg i ddilema mawr dyn yn yr ugeinfed ganrif a hynny cyn i'n hathronwyr ddechrau sôn am yr argyfwng gwacter ystyr. Ac eto nid bardd anobaith mono. Yng ngrym a thrwy rin ei gelfyddyd, cadwodd gysegr sancteiddiola'r fron yn olau ac yn ddihalog. Bardd sy'n derbyn ei dynged yw Parry-Williams, bardd yr hyder hiwmanistaidd. Yn sicr bu cyhoeddi'r *Cerddi* yn 1931 yn garreg filltir yn hanes ein barddoniaeth ac yn natblygiad yr hydeimledd Cymreig. Mae'n syn meddwl (ond gellir ystyried hyn efallai yn rhan o'r eironi) mai yn y flwyddyn honno y cyhoeddwyd hefyd *Y Flodeugerdd Gymraeg*.

YR YSGRIFAU

gan JOHN GWILYM JONES

I LAWER beirniad nid yw ysgrif fel modd llenyddol yn ddim ond pwt ffwrdd-â-hi, ffordd ddiwerth diletant o ladd amser wrth foddio'n foethus, hunan-dybus rhyw chwiw i ymbwysigo ar bapur. Ac i fod yn deg â'r beirniaid hyn, nid oes dim dwywaith na luniwyd erthylod yn ei henw wrth rad-addurno ystrydebau mewn paragraffau porffor o ruthmau llesmeiriol, wrth gydio argraff ddibwys wrth argraff ddibwys yn llipa o anghyswllt ac amherthnasol, wrth faldodi'n ansoddeiriol, a gwaeth na'r cwbl wrth grach-athronyddu, neu, fel y dywed T. H. Parry-Williams, wrth wag-fetaffysegu.

Er hyn i gyd dyma'r modd a ddewiswyd yn fwriadol gan ysgrifenwyr o wir bwys, Bacon, Steele, Lamb a Hazlitt yn Lloegr, a'r mwyaf ohonynt i gyd, Montaigne yn Ffrainc. Ar draethodau Montaigne—ysgrifau, yn wir, oherwydd eu hagwedd ddiarbed bersonol—y sylfaenodd holl ddramodwyr oes Elizabeth I fyfyrdodau eu harwyr. Heb Montaigne ni fuasai Shakespeare wedi ysgrifennu *Hamlet*. Gallodd Montaigne mewn cant a saith o ysgrifau—a'u cynnwys ymhell o fod yn wreiddiol—nid yn unig fod yn hergwd creadigol i lenorion ond hefyd roi amlygiad o bersonoliaeth gyflawn, i'w elynion yn fympwyol, anuniongred, anfoesol, ond i bob un teg yn fynegiant o wybodaeth a chyd-bwysedd gwâr.

Yr hyn a wnaeth Montaigne yn Ffrangeg fe wnaeth T. H. Parry-Williams yn Gymraeg. Nid wyf yn gwybod sawl ysgrif a ysgrifennodd ond darllenais naw deg a saith ohonyn' nhw, cynnwys saith cyfrol, wedi eu cyfansoddi rhwng 1922 a 1966 ac yn amrywio mewn pynciau o berfedd motor beic i eiliadau cyfriniol bardd yn syth-adnabod perfedd Bod.

Mae ei ddiddordeb yn ddidderbynwyneb ynddo'i hun, myfïaeth anedifeiriol ond yn oer o ddiymhongar. Ei deulu, ei gydnabod, ei fro, ei deithiau yw testunau ei ysgrifau, hwyrach, ond esgusion yw'r rhain bron yn ddieithriad i roi cyfle iddo wyntyllu'n fanwl ei ymatebiadau iddyn 'nhw, a'i ddadansoddi ei hun er mwyn sicrhau praffach a dwysach a chymesurach adnabyddiaeth ohono'i hun. Ac wrth ei adnabod ei hun yn dod i adnabod eraill, yn ehangu'r adnabyddiaeth arbennig yn adnabyddiaeth gyffredinol. Daw'r unigolyn o Ryd-ddu yn feicrocosm o'r ddynoliaeth. ' Onid oes dyfnder didrugaredd i drueni dyn ? ' gofyn yn rhywle, ac fel i geiliog Pen-y-Pàs mae heliwr a disodlwr i bawb ohonom.

Dim ond ar achlysuron anaml iawn y mae'n trafferthu i esbonio'r ymatebiadau hyn yn glinigol. Nid seicaiatrydd ydyw, ond sylwedydd gwrthrychol yn cofnodi. Yn wir mae'n ysgafn braidd o'r ' seico-bois,' chwedl yntau. Nid nad yw'n addef y gallai fynd ' ati-hi yn dalog glyfar i geisio esbonio hyn oll yn wyddonol'' ond ei osgo nodweddiadol yw osgoi'r esboniad. ' Nawr traethwch, chwi seicolegwyr,' meddai mewn un lle, ac mewn lle arall, ' y mae'n sicr bod gan yr eneidegwyr dysgedig labelau pert i'w rhoddi ar yr holl agweddau hyn ar y cysylltiadau personol brofiadol a all fod rhwng dyn a dŵr : ond nid yw'r cysylltiadau ronyn llai gwirioneddol oherwydd hynny.' Mae'r ymatal hwn yn beth rhyfedd braidd i un â chymaint ganddo i'w ddweud wrth wyddoniaeth, un y bu bron iddo unwaith fynd yn feddyg, un a swynwyd i gyfaredd gan fireinder ymysgaroedd pryf genwair ac un a allai'n hawdd fod wedi ennill ei damaid yn trin ceir. Ond dyma fesur ei ddoethineb. Esbonio motor beic a gwn a phryfgenwair, ia, ond nid ofn a hiraeth a gofid a llawenydd ac amheuaeth a gorfoledd. Iddo ef nid yw esboniad na lliniaru na gogoneddu dim ar y rhain. Mesur eu cyfaredd a'u dwyster yw sicrwydd a chyfrinach eu bodolaeth. ' Y mae'n werth gadael i rai dirgelion, o leiaf, aros yn eu dirgelwch . . . nid oes fawr lewyrch ar neb na dim wedi i rywun fod yn ei berfedd.'

Mae ei bynciau mor afrifed dim ond eu cyffwrdd a fedrir— unigrwydd hen geiliog wedi'i ddiorseddu, ei gyd-ddealltwriaeth â motor beic a char, cyd-ddigwyddiadau rhyfedd, polion teligraff, arswyd y Niagara a'r Grand Canyon, teulu'r Ffatri, adar go iawn a rhai dychmygol, llynnoedd, oedfa mewn capel ac oedfa lawn mor eneiniedig mewn lobi capel, pysgota, hela, darlithio, teithio o gwmpas cartref a chyfandiroedd, chwareli, cri fel clec gwn yn galw'i enw bedydd, ias a ddaw i'r gwegil, i enwi ond ychydig. Nid unedau digyswllt yw'r rhain ond penodau, fel petai, mewn cyfanwaith. Ar wahân i'r ffaith mai ef ei hun yw canolbwynt y cwbl yn eu cysylltu, y mae llinyn arian arall sy'n eu cydio wrth ei gilydd, ac yn penderfynu eu naws a'u tôn. Hwnnw yw, yn niffyg amgenach ymadrodd, ei agwedd ramantaidd, ei gred sicr

fod byd arall y mae rhai bodau dewisol yn eu cael eu hunain
ynddo heb yn wybod iddyn' nhw ar funudau, eiliadau yn wir, o
adnabyddiaeth tu hwnt i reswm o natur pethau.   Nid byd arall y
Cristion yw hwn o angenrheidrwydd.   Mae T. H. Parry-
Williams fel Croce yn gredwr o argyhoeddiad yn y gwybod
greddfol hwn sy'n wahanol o ran ei natur i'r gwybod trwy ddeall
Ac fel Croce eto nid yw'n dal ei fod yn anorfod o natur gyfriniol.
Ar yr un pryd mae'n wybod cyflawn.   Yn *Bwrn* fe'i disgrifir fel
cyflwr ' ecstatig dyrchafedig . . . lle mae ieithwedd farddonol yr
unig un naturiol, hynny yw, lle nad yw gosodiad fel "ynom
'mae y sêr" yn swnio'n ddigrif, heb sôn am chwerthinllyd.'
Wrth lenydda mae dyn yn ' mynd i fyd neu ystad neu fodd
dieithr,' 'yn anadlu awyr deneuach ac ysgafnach', yn llithro o ran
ei ystad ' eneidiol i ryw fath o berlewyg hyfryd ansylweddol.'
Mae rhai dynion yn cael ' ysgogiadau annirnadwy,' ' yn cael
cyfrinach o rywle ' ac yna'r ' creu wedi digwydd yn nwylo dyn
cyn iddo sylweddoli hynny.'   Nid dynion deallus gwybodus o
angenrheidrwydd sy'n cael y profiadau hyn chwaith, ond 'roedd
Dafydd y Ffatri a'i risial ar ochr yr Wyddfa ' yn cymuno â'r
anweledig ' hefyd. Agwedd arall, os arall hefyd, o'r profiad hwn
yw fod dyn yn darganfod ei fod yn un â natur, na fedrir ei
wahanu oddi wrth unrhyw wrthrych allanol arall. Medd Walt
Whitman :

  I find I incorporate gneiss, long threaded-moss fruits, grains,
      esculent roots
  And am stucco'd with quadrupeds and birds all over.

Ac medd T. H. Parry-Williams, ' Effaith myfyrdod ar ddyn o'r
teip hwn yw ei fod wrth fyfyrio yn teimlo ei fod yn rhan o'r
bydysawd, neu, ac arfer gair mwy coeg, y cosmos, ac mewn
cymundeb ag ef.' Ar ben bwlch rhwng Cynwyl Elfed a Dyffryn
Teifi un tro ' mi arhosais i orffwys arno gan orwedd dipyn o'r
ffordd ar lannerch rugog. Bu bron i gysylltiad â'r ddaear yn y
fan honno fynd yn drech na mi. Cyfodais rhag angerddoldeb yr
ymdeimlad—ymdeimlad bod yn un â'r ddaear neu'n rhan o
symud anferth y bydysawd.' Fel Lucy Wordsworth,

        Rolled round in earth's diurnal course
        With rocks and stones and trees.

Ond yn wahanol i Whitman a gredai fel y Williams Parry cynnar mai i bethau tlws y ddaear y perthynai ' fy ngeni'n frawd i flodau'r grug ' (daeth Williams Parry i gredu'n wahanol) y mae ymwybod T. H. Parry-Williams o ddrygioni'r byd, ' geudab, ffalster, twyll a chelwydd—pydredd yr enaid—sydd fwyaf ei rym yng ngweithgareddau dynion,' yn ei orfodi yn ei onestrwydd i'w uno ei hun â'r rheini hefyd. Ffrwyth y gwybod greddfol hwn yw ysgrifau T. H. Parry-Williams wedi eu disgyblu gan yr ewyllys i fod, fel y dywed ef ei hun, ' yn rhyddiaith noeth a phlaen.'

Ond eto rhyddiaith â'i natur yn bendant farddonol ydyw. Gellir dadlau'n deg nad y moddau confensiynol fel telyneg neu awdl neu soned neu bryddest sy'n gwneud rhywbeth yn farddoniaeth, fod nofel neu ddrama neu ysgrif yn farddoniaeth hefyd. Gwir natur barddoniaeth yw ei bod yn fynegiant diriaethol o brofiad. Dyn yw'r bardd, waeth beth fo'i gyfrwng, dyn o synhwyrau miniog anghyffredin a sylwgarwch a dyfeisgarwch, sy'n defnyddio natur, yn wir unrhyw achlysur allanol, fel delweddau i adlewyrchu ei argyhoeddiadau a'i brofiadau. Nid yw rhyddiaith bur yn gwneud dim ond mynegi'r profiad neu'r argyhoeddiad yn osodiadol haniaethol, heb fwriad yn y byd i gynhyrfu na chyffroi, dim ond ehangu gwybodaeth. Am farddoniaeth mae'n ddiwerth heb gyffro, heb apêl sicr at deimlad yn ogystal â meddwl ' yn tanio meddwl dyn a'i fêr ' fel y dywed Robert Williams Parry. Barddoniaeth fel hyn yw ysgrifau T. H. Parry-Williams. Mae'n cydio mewn pethau fel grisial, trên bach, llyfr lòg, hen chwareli, caneri, cath, engrafiad, J.C.3636, gwybedyn marw, K.C.16, glaw, bys clec, poteli ffisig, Hafod Lwyfog, Oerddwr, Drws-y-Coed a chant a mil o bethau eraill, a thrwyddynt, nid yn unig yn cyffroi dyn gan fanylrwydd y llun y mae'n ei dynnu ohonyn' nhw, ond yn eu defnyddio fel delweddau i wyntyllio a dadansoddi gwahanol agweddau ar ei bersonoliaeth a'i brofiadau ef ei hun. Nid yw'r uno yn naturiol mor glos ag y mae yn ei ' rigymau ' lle mae'r ddelwedd a'r profiad yn cyd-fyw. Yn yr ysgrifau mae grisial Dafydd y Ffatri a'r profiad y mae'n ei ennyn yn byw ar wahân, ond eto drych yw'r naill i adlewyrchu'r llall. Dyma'i gyffes ef ei hun, ' Mae hen bethau bach felly,' yn aros, ' gyda ni yn rhywle yn simbolau cyfrin o rywbeth sy'n rhan ohonom, yn arwyddluniau digamsyniol o rywbeth sy'n gyfran o gyfanswm y bod sy'n eiddo inni.' Trwy'r 'pethau bach' hyn y cyffroir ni i adnabyddiaeth o natur hiraeth a barddoniaeth a gofid a llawenydd a gorfoledd a chariad at geraint a bro ac angau. Gwaith yr artist yw rhoi cig a gwaed i syniadau. Gwnaeth T. H. Parry-Williams hyn.

Nid oes amheuaeth ynghylch sylwedd a threiddgarwch y syniadau hyn ; nid 'crach-fetaffisegu' ydyn' nhw. Nid ydyn' nhw'n rhyfeddol o wreiddiol, hwyrach, ond gan yr athronydd a'r diwinydd y disgwylir gwreiddioldeb, nid gan y llenor. Weithiau syniadau nodweddiadol cyfnod arbennig ydyn' nhw, fel pan geir Hardy yn sôn am ddynion fel 'sport of the Immortals' a T. H. Parry-Williams yn sôn am y 'daemon anfeidrol, y seithugwr mawr sy'n dal i drefnu pethau ac i gael hwyl am ein pennau ni feidrolion.' Mae mor ymwybodol o'r *archetypal image* â Jung: 'y mae rhyw ymdeimlad anghyffwrdd, henaint cynhenid dynoliaeth yn bod mewn dynion.' Mae mor gyfarwydd â'r 'Great Memory' ag yw W. B. Yeats, ac yn sôn am 'ehangder oesol cof.' Pan yw'n ymdrin yn *Aros* â'r aros olaf, 'y sefyll sydyn, disymwth sy'n beidio â mynd' gwelodd angau fel cloc yn stopio ymhell o flaen T. S. Eliot : 'I do not want the clock to stop in the dark.' Ond yr hyn a'm trawodd yn arbennig oedd cymaint o'r syniadau sydd wedi dod erbyn hyn yn seiliau cymaint o awduron a elwir yn fodern ac yn ddirfodwyr, Ionesco yn anad neb. Mae'n sôn yn union fel Ionesco am yr 'ymdeimlad gorchfygol o ddiddymdra a darfodedigrwydd pethau a mai "gwagedd o wagedd" ydyw'r cwbl,' sôn, fel y cyfeiriwyd eisoes, at ffalster, a geudab y byd, a sôn yn berthnasol iawn am yr elfen elynol sydd mor anesgor bresennol fel na fedrir gwneud dim ond chwerthin am ei phen. Dyma'n union y mae Ionesco yn ei wneud yn ei 'tragic farces.' Y mae'r ysgrifau fel cyfanwaith yn borfeydd toreithiog o syniadau i ddyn gnoi cil arnyn' nhw.

A bellach beth am ei fynegiant a'i arddull ? Heb ragymadroddi mae bron yn ddifeth yn disgyn fel y barcud, y mae'n sôn amdano, ar ei destun, ond yna'n hamddena'n lincyn loncyn braf gan daflu aml i stori sydd bron yn ddieithriad ddoniol, neu gyfeiriad Beiblaidd neu ddyfyniad a hwnnw'n amlach na neb o waith ei gefnder, R. W. Parry, eu taflu i brofi ei bwynt. Weithiau mae'r ysgrif yn rhesymegol gysylltiol ei pharagraffu ond yn aml yn arwynebol anghysylltiol : 'Lincyn Loncyn,' er enghraifft, yn symud o Gerdd Dafod i Gapel Bethesda, hwnnw i Volander, Volander i lun yn *Y Beirniad*, y llun i Fyrddin Fardd a Myrddin i Eiddew, ond y cwbl wedi eu cydio mor gyfrwys nes synnu dyn gan synnwyr pensaernïaeth sicr yr awdur. Ceir yr effaith o ffiwg mewn miwsig, croesacennu syniadau sydd weithiau'n ysgafn, weithiau'n ddwys, ar dro'n faterol ddaearol, ar dro'n hedegog arall-fydol, a'r rhuthmau'n amrywio o rai llyfn hyderus i rai nerfus ymofyngar. Mae'r cwestiwn mor aml ag yw'r gosodiad bron. A hyn i gyd yn asgwrn cefn i sylwgarwch manwl, dadansoddiadol disgrifiadau fel tu fewn i bryf genwair, neu daith tywod o un gwydr i'r llall yn y peth-berwi-wyau, neu olwyn ddŵr Oerddwr, neu effaith ias a chri arno ef ei hun yn gorfforol a meddyliol.

Mae'n feistr ar ei grefft o'r gair unigol dewisedig i grynoder yr ymadrodd ysgytiol, o frawddeg gymen ei ffurf i undod gorffenedig rhesymegol ei baragraffau, a'r cwbl efo'i gilydd yn cydweithio i gynnal cyfanwaith crwn. Wrth ymdrin ag ef fel bardd ni ellir osgoi sôn am ei ddefnydd herfeiddiol o dafodiaith ei fro ei hun. Rhoddodd urddas barddoniaeth i eiriau fel jolihoetio, jôc, strôc, rhibi-di-res, ponsio, stagro, ond mae'n amlwg mai geiriau i fynegi cyffro teimlad yw'r rhain gan mai prin iawn ydynt yn ei ysgrifau—mwy, hwyrach, yn ei rai diweddar na'i rai cynnar. Rhaid iddo, mae'n amlwg, pan yw'n dadlau a rhesymegu a gwneud gosodiadau yn gymharol oer, wrth iaith y deall, iaith dderbyniol lenyddol. A phan nad oes gair yn y geiriadur mae'n bathu un. Ac o'r gair i'r ymadrodd. Deffroir darllenydd o hyd ac o hyd gan ryfeddod newydd cyswllt enw ac ansoddair. Mae Ann yn 'warcheidwad chwaeryddol' ar y ffatri, tomen chwarel yn 'rwbel condemniedig,' yr ias yn 'oroglais briwiog,' y tywod yng 'ngharchar gwydrin' y peth-berwi-wyau, ac i Lyn y Gadair ei 'gyfrinachau pysgotwrol.' Cofir am y trempyn 'a'i ysgubiad o nodau ar un chwythiad a bysiad,' am yr aderyn condor 'sy'n cartrefu'n awyrog ym mhinaclau'r Andes,' am Oerddwr 'yn drwm gan annaearoldeb.' Mae'n cyfansoddi brawddegau yn fwriadol eu ffurfiau arbennig. Sylwer ar hon: 'Ychydig cyn dyfod aroglau petrol a chlec peiriant tanio-o'r-tu-mewn i drawsfeddiannu'r lôn bost sy'n mynd heibio i odre gorllewinol yr Wyddfa, yn adeg gogoniant y trên bach, a oedd yn mynd yn annibynnol ar ei ffordd ei hun, tua'r amser hwnnw y deuthum i gyntaf yn gyfarwydd â'r peth a elwid gennym ni blant yn risial.' Mae'r darllenydd yn cael y pleser hyfryd ar ôl yr oedi gydag ymadroddion adferfol a chymalau ansoddair o gyrraedd y gair gweithredol 'grisial' sydd wedi ei osod mor daclus yn yr union le y dylai fod ar ddiwedd y frawddeg. Nid oes lle i ymdrin â pharagraff cyfan, ond y maen' nhw'n ddieithriad yn batrymau o symud rhesymegol o frawddeg i frawddeg i ffurfio'r undod sy'n nodweddiadol o bob ysgrifennwr o bwys.

Mae ysgrifau T. H. Parry-Williams o ran sylwedd yn ddogfen o ddiwylliant eang, o ddeallusrwydd dwys ac o bersonoliaeth gytbwys, wâr, hynaws, llawn hiwmor sy'n adnabod dyn am ei fod yn ei adnabod ei hun a chydymddwyn a chydymdeimlo â'r naill fel y llall. Ac o ran mynegiant a sylwgarwch a synwyrusrwydd yn weithiau sy'n rhoi pleser uchaf llenyddiaeth.

YR ADNODDAU LLENYDDOL

gan T. J. MORGAN

Y<small>R</small> wyf i, yn ystod y misoedd diwethaf, wedi cael profiad sy'n newydd yn fy hanes i, sef bod yn aelod o weithgor—aelod hollol ddigyfraniad—sy'n gyfrifol mewn rhyw ystyr am godi adeilad newydd. Y mae hyn wedi bod yn gyfle imi weld sut y mae cwmni o benseiri yn mynd ati, ac yr wyf wedi rhyw ledgasglu beth yn hollol yw gwaith a swyddogaeth yr aelod hwnnw o'r cyfundrefn a elwir yn *Quantity Surveyor*. Y mae'n dda gennyf gael hyd i'r wybodaeth hon gan fod hyn yn help imi ddyall beth yw fy swyddogaeth innau yn y gyfrol deyrnged hon, sef bod yn rhyw fath o swyddog adnoddau, yn trafod yr eirfa a'r cystrawennau a'r ystrywiau neu ddyfeisiau geiriol a brawddegol yn yr adeiladau y mae pensaernïaeth Parry-Williams wedi eu llunio a'u codi.

Y mae pob ymdriniaeth o'r natur yma—o leiaf, pob ymdriniaeth a ddaw o'm pen a'm llaw i—yn gorfod dechrau gyda'r gosodiad sylfaenol, sef bod yr adnoddau, yn eirfa a chymalau, sydd gan werinwr sy'n cynrychioli'r iaith-lafar neu gefn-gwlad, yn annigonol i ddibenion llenyddol. Nid rhaid tybio mai'r rheswm am hyn yw fod y gwerinwr neu'r gwladwr yn brin ei dalent a thenau ei wybodaeth ; fe all fod yn ŵr dyallus iawn, ond o fewn terfynau ei fywyd beunyddiol naturiol, geirfa a phriodddulliau a chystrawennau cymharol syml ac anghymleth a fydd ganddo am mai sgwrs am bethau syml a diriaethol fydd ei sgwrs, gyda'i deulu a'i gymdogion. Ond pan ddaw'r adeg iddo ddadlau ar bwnc diwinyddol, fe ddaw ymadroddion fel ' prynedigaeth neilltuol ' a ' dirfodaeth ' ac ' eciwmeniaeth ' ac ' anoddefgarwch ' o'i enau ; ac os ymuna â dosbarth allanol, fe ddaw geiriau fel ' rhamantiaeth ' a ' chlasuriaeth ' yn rhan o'i eirfa ; ac fe fydd y darnau siarad a ddaw o'i enau'n fwy swmpus, a rhyw gymaint o gymhlethdod yn y brawddegau, hyd yn oed os bydd yn awr ac yn y man yn baglu dros y geiriau lluosillafog a'r dryswch brawddegu. Yn hyn o bethau y mae'n trafod syniadau'n ddadansoddol, ac yn y gwaith o drafod syniadau deallol yn ddadansoddol ofalus, rhaid wrth eirfa lawnach ac o natur haniaethol, ond hefyd, rhaid bod yn fanwl gywir i ddynodi mân wahaniaethau.

Un peth arall gwerth ei ddweud yn rhagymadroddol yw fod crefftau (gan amlaf), er mai llunio pethau 'defnyddiol' yw eu nod, yn troi'n gyfle i'r crefftwr i ddangos ei ddawn, nes bod y 'peth' yn troi'n addurnol heblaw bod yn ddefnyddiol, ac yn troi'r grefft yn gelfyddyd, a'r crefftwr yn artist. Fe fyddai'n ddigon da o gadair i eistedd arni pe bai'n sêt a choesau a chefn ac o wneuthuriad plaen, a byddai'n ddigon da o adeilad, i fod yn neuadd neu dŷ neu eglwys, pe na bai'n ddim ond pedwar mur a tho, ond y mae dodrefn, yn gadair a bord a chwpwrdd, er cyflawni'r diben defnyddiol neu *functional*, yn dangos rhagoriaeth ac arddull a rhyw elfen dros-ben a chymeriad y gwneuthurwr, a hynny sy'n troi'r celfi plaen ac elfennol o ddefnyddiol yn Chippendale ac yn Sheraton. Y mae tŷ, heblaw bod yn bedair gwal a tho, a heblaw bod yn gyfle i grefftwr i brofi ei allu, yn dystiolaeth fod y perchennog yn ŵr o awdurdod a chyfoeth ac yn rhagori ar bawb o'i ddeiliaid, a hynny yn bennaf sy'n troi ei dŷ yn blas. Dywedwyd digon i awgrymu drwy enghraifft neu ddwy beth yw'r dylanwadau a'r tueddiadau sy'n troi'r grefft 'ddefnyddiol' yn gelfyddyd. Fe ddigwydd weithiau fod crefftwyr yn colli eu pennau'n lân nes bod yr agwedd addurnol yn mynd i eithafion gor-addurn a'r agwedd 'ddefnyddioldeb' yn dioddef o'r herwydd, nes magu chwyldro o ran chwaeth ac arddull a gwrthwynebiad i bob addurn ; a'r duedd newydd fydd mynd yn ôl at ddefnyddioldeb plaen. Nid rhaid dadlau yma o blaid neu'n erbyn y pethau hyn ; amcan codi'r materion hyn yw dangos fod modd i 'ryddiaith' fod yn grefft blaen, yn cyflawni dibenion defnyddioldeb yn unig ; ond fe all, fel pob crefft arall, fod yn gyfle i'r crefftwr i ddangos ei allu a'i hoffter o droi'r cyfrwng yn addurnol a gosod stamp ei wneuthuriad a'i 'gymeriad' ei hun arno.

Wrth fy mod i'n mynd yn ôl at gyfrol yr *Ysgrifau* y mae'n naturiol imi (am resymau personol arbennig) glywed ansawdd 'Cymraeg y dau-ddegau' yn gyntaf oll. Y mae yn agos i ddeugain mlynedd er pan gyhoeddwyd *Ysgrifau*, sef 1928. Y mae hynny fel ddoe i mi ond y mae'n orffennol i'm disgyblion a daw achos bob hyn a hyn imi egluro iddyn-nhw sut yr oedd ysgolheictod yr adrannau Cymraeg yn nechrau'r ganrif wedi gwedd-

newid yr iaith lenyddol nes bod cymaint o wahaniaeth rhwng
Cymraeg ' nodweddiadol ' 1895 a 1925 ag sydd rhwng dillad y
ddau gyfnod. Fe'n cyflyrwyd ni ddisgyblion y dau-ddegau gan
gywirdeb y cyfnod—y sylw a roid i gywirdeb orgraff a
chystrawen, y gofal i fod yn Gymreig ein harddull a'n priodd-
ddull ac i fod yn ddieuog-lân o bob dylanwad Saesneg, ac o ryw
bethau hen-ffasiwn a beiblaidd fel ' y gwŷr a ddaethant.' Ond
rhyw Gymraeg di-wall yn unig a ddeilliai o hyn ; ac fe all hyn
ymddangos yn ' negyddol ' ; ond y mae'n deg dweud fod rhyw
feistrolaeth newydd i'w gweld yn chwarter cynta'r ganrif a rhyw
expertise aruthrol yn y ffordd y trafodid yr iaith gan ysgolheigion
a oedd hefyd yn llenorion, a hynny am fod ganddynt fwy o
gynefindra â llenyddiaeth orau'r gorffennol a mwy o adnoddau,
yn eirfa a chystrawen, ac am fod eu hysgolheictod yn rhoi mwy
o hyder i'w sgrifennu ; y maent fel nofwyr cryf yn gwanu drwy'r
tonnau, ac nid fel rhyw ferchetos yn tasgu ar fin y dŵr. Ond
gyda'r feistrolaeth a'r sicrwydd yma fe geid ambell strôc a
chwafer, y cyffyrddiadau caboledig hynny a'ch gwnâi chi'n
gyflawn aelod o urdd y llenorion academaidd—cystrawennau
' U ' y cyfnod, os caf i fenthyca priod-ddull yr Athro Ross a
Miss Nancy Mitford—defnyddio *o* yn lle *os* ; ac ' od oes ' yn lle
' os oes ' ; ' methodd gennyf' yn lle ' methais ' ; ac ambell
' ysgatfydd ' ac ' atolwg,' a hyn oll yn ddigellwair. 'Rwy'n cofio
fy mod gynt yn ceisio rhoi label ar Gymraeg y cyfnod hwn drwy
ei alw yn ' Gymraeg odid-na ' neu ' ond odid ' am fod yr hen
briod-ddulliau hyn wedi dod i nodweddu arddull gwŷr-gradd y
dau-ddegau ; ac yr oedd mor normal fel na ellid cyhuddo neb o
swanc a rhodres am eu defnyddio.

Wel yn awr ynteu : y Cymraeg academaidd ' cywir ' yma yw
sylfaen Cymraeg Parry-Williams ; byddai ' cefndir ' yn well. Yr
oedd y cefndir hwn tu ôl i bob llenor academaidd yn chwarter
cynta'r ganrif. Naturiol disgwyl i lenor y dauddegau gael
esiampl hwnt ac yma o'r *o-* gystrawen ferfenwol : 'yr oedd mor
normal nes dyfod o ryw ddieflyn direidus', *Ysgrifau* 31 (' Yr Ias ') ;
'rhaid ymddangos o'r peth hwnnw weithiau yn ddieithr', *ibid*. 65
(' Dieithrwch ') ; a threwir ar ambell enghraifft o *Ond odid nad*,
Ysgrifau 7 ; fe geir y berfenw ' cywir ' *gorddiwes*, *ibid*. 11 ; a
thueddir i ddefnyddio'r Modd Dibynnol yn swyddogol-gywir—
' Nid yw'r glaw a ddisgynno arnaf pan fwyf yn eistedd,' *ibid*. 10.

Ond nid yw dyfynnu ychydig enghreifftiau fel hyn yn deg, oblegid ni ddangosant pa mor aml y defnyddid y rhain ; wedi'r cyfan, mynych ddefnyddio'r cywreindodau hyn, a mynd allan o'ch ffordd i'w defnyddio, a droai'r arddull hon yn fawrdra ac yn swanc. Ac fe ddywedwn i fod Parry-Williams wedi cadw'r duedd academaidd hon o dan reolaeth, a bod yr ysfa ysgolheig-aidd a'i harddull yn rhesymol a heb fynd yn anghymedrol ; hynny yw, nid yw'r pethau arddull yma yn cael eu defnyddio er eu mwyn eu hunain.

A heblaw hyn, y mae effaith yr ysfa academaidd neu arddull swyddogol gywir y cyfnod yn cael ei chanslo gan eiriau tafod-ieithol a phriod-ddulliau answyddogol. Os oes tuedd at urddas yn yr arddull swyddogol gywir, y mae tuedd at naturioldeb ymadroddi yn cadw'r arddull rhag mynd yn ddihiwmor o urddasol. Fe ddewch ar draws enghreifftiau o 'yrhawg' (*Ysgrifau* 7), 'Atolwg' (*ibid.* 7), 'mewn cyngwystl gorchestol â mi fy hun' (*ibid.* 29), 'ennyd fer gynghreiddiol' (*ibid.* 29), 'neu "gythraul canhorthwy" cyfriniol' (*ibid.* 74), sy'n golygu galw *Kulhwch ac Olwen* i gof i'w brisio'n iawn ; ond fe gewch hefyd 'motor-beic' (*ibid.* 7); 'am geiliogod eraill y gwyddwn yn dda amdanynt ond oedd wedi mynd i'w hateb' (*ibid.* 25) ; 'y peiriant bach delicet hwn' (*ibid.* 44) ; 'er hynny, oherwydd y dieithrwch ei hun—y feri dieithrwch—y mae . . .' (*ibid.* 45) ; 'a'r bwten hogen o Chile (*ibid.* 68) ; 'neu ddechrau ei ddrwgleicio' (*ibid.* 69). Y mae'r cymal yma'n grynodeb o'r cyfuniad o'r geiriadurol gywir ac urddasol, a'r naturiol arferedig : 'sef yr awrwydr neu'r peth-berwi-wyau, fel y'i gelwir fynychaf ' (*ibid.* 44).

Er mwyn imi gael rhyw fath o gynllun i'r sylwadau hyn a gwybod i b'le'n hollol yr wyf yn mynd, gwell imi sefyll yn y fan yma am eiliad a dewis dwy neu dair agwedd neu egwyddor i fod yn sêr y teithiwr drwy anialwch o ymdriniaeth. Ni bydd yn bosibl nac yn ddoeth cadw'r rhain yn llwyr ar wahân, ond fe fydd yn werthfawr (yn fy ngolwg i, ac i'm dibenion i) i'w cadw mewn cof. Cyfeiriwyd eisoes at yr hyn a gyfrennir at arddull llenor gan ffasiynau ac arferion a defodau ei gyfnod : fe ddylid cadw hynny yng nghefn y meddwl o hyd. Wedyn y ddau beth arall yw'r pwnc a'r person neu'r bersonoliaeth, a'r rhain sydd bwysicaf, wrth reswm : y defnydd a drafodir, ac ar gyfer pwy yr ydys yn ysgrifennu ; a ydys yn synio am y cyfansoddiad o safbwynt 'celfyddyd,' mai creadigaeth lenyddol ydyw ; pa ofynion a osodir ar y llenor gan ei orchwyl ac o b'le y daw adnoddau ei fynegiant.

Nid yw Parry-Williams wedi traethu'n helaeth ar feirniadaeth lenyddol ond pob tro y cafodd achos i draethu'n ddadansoddol ar hanfodion llenyddol a chymeriad y gwir lenor, fe ddengys ei fod yn ymwybod â rhyw gynneddf sensitif sy'n hoff o flasu geiriau ac ymadroddion, defnydd crai llenyddiaeth ; ac yn ymwybod â rhyw ysfa oddi fewn, rhyw ddewin neu goblyn, sy'n codi chwant i wneud camp â'r defnyddiau :

Yn rhyfedd ddigon, y mae hyd yn oed offer a thaclau'r gelfyddyd yn apelio ato yn gynnar ; y mae'r swyn sydd i gyfansoddiad a chyflead geiriol yn rhan o gyfansoddiad ambell un, heb, o angenrheidrwydd, gael cyfarwyddyd gan neb erioed . . .

Hynny yw, nid yn unig y mae swyn iddo, yn reddfol megis, mewn trin a thrafod yr offer-ystrywiau a dyfeisiau traddodiadol y grefft, ond y mae hefyd yn ymdeimlo â rhywbeth arall, rhyw egni neu gynnwrf o'i fewn (*Synfyfyrion* 12, ' Llenydda ').

Ac yng nghelfyddyd gain llenyddiaeth bur, y mae'r geiriau, sy'n arwyddluniau o hyd, yn gorfod dal mwy o straen nag a fwriadwyd iddynt, neu mewn geiriau eraill, y maent wedi eu gorsiarsio . . .

Ystyrier am foment le ac arfer geiriau mewn llenyddiaeth—y gelfyddyd ymwybodol honno o arfer geiriau at bwrpas arbennig, gan gyfyngu'n sylw am y tro i brydyddiaeth . . . Y mae eu lle, eu trefn, a'u cymdogion mewn cân, yn cyfrif llawer, y mae eu cysylltiadau yn bwysig, y mae hen gymdeithasiadau yn rhoddi naws ac egni arbennig iddynt. Ac y mae'r beirdd yn ymwybod â'r holl bethau hyn, ac yn manteisio arnynt i gael 'effaith' ac i wneud i'r geiriau gyfleu rhywbeth mwy na'i synnwyr arferol, rhyddieithol, pob-dydd—a gwahanol hefyd, efallai. Meistrolaeth a llywodraeth y bardd ar y geiriau sy'n rhan o'i greadigaeth awenyddol yw mesur mawredd ei arddull . . .

Y mae'n syn fel y gellir trydanu geiriau bach cynefin a'u gloywi i ogoniant. Ystyrier y geiriau bach treuliedig a disylw, 'hen', 'pell' a 'mawr', geiriau nad oes dim mor gyffredin â hwy. Eto y mae'r beirdd wedi gallu eu gogoneddu wrth eu defnyddio'n *gyfrwys*.

Dyma felly grefft—y grefft neu'r ddawn gynganeddu—sy'n rhoddi cyfle godidog i'r triniwr geiriau ymwybod â'u gwerth a chael y rhin a'r nodd mwyaf ohonynt, *heb ymddangos fel petai'n gorgywreinio â hwynt.*

Ac wrth sôn am drin geiriau, hawdd coelio bod *y saer-geiriau sydd o ddifrif,* yn eu hystyried fel y mae unrhyw saer arall yn ystyried ei arfau a'i ddeunydd. Ei bennaf nod ydyw dal a mynegi rhywbeth yn gofiadwy, a'r hyn y mae hynny'n ei ddatguddio gliriaf yn aml ydyw ei anian ef ei hun. Wrth drin ei offer y mae'r saer hwn, yn gyffredin iawn, yn ei ddarganfod ei hun gyntaf drwy siarad ag ef ei hun cyn mynd ati i'w fynegi ei hun (*Lloffion* 54, 55, 56, 57. ' Geiriau ').

Ni allwn beidio ag italeiddio rhai darnau wrth gopïo'r dyfyniadau uchod : yn wir, yr oedd yn demtasiwn gref rhoi'r cwbl mewn llythyren italaidd. Ac nid mewn ysgrifau ar destunau megis ' Llenydda ' a ' Geiriau ' yn unig y ceir darnau cyffes-ffydd fel y rhai a ddyfynnwyd. Mae'n anodd i'r athro iaith a llen-yddiaeth, a'r bardd a'r ysgrifwr, a'r *connoisseur* ymadroddi, fygu ei gynneddf hyd yn oed wrth glywed gweddi :

Pan ddechreuodd y pregethwr ei weddi, yr oeddwn wedi fy llwyr ddal. Deuai ymadroddion o'i enau fel cawod o fflachiad-au o'r hen fyd i'm hymennydd. Pan ddiolchodd i'r Arglwydd nad oedd neb ohonom y bore hwnnw yn 'ddychryn i'r lleill'— peth na chlywswn erioed ei fynegi yr un fath—yr oedd yr afael yn tynhau fwyfwy. Nid oedd yr ymadrodd, hyd y gwyddwn i, yn un o'r rhai ystrydebol gweddïol y bydd cyfaill a minnau ambell dro yn eu hatgoffa i'n gilydd *a chael blas a gras* wrth wneud hynny—rhai fel 'dodi ein goglud arnat Ti', 'diolch i Ti ein bod ar dir y byw ac o fewn terfynau gobaith, a bod daear maddau dan ein traed' ; 'diolch i Ti mai o flaen gorsedd gras yr ydym, ac nid o flaen gorsedd barn' a llu cyffelyb (*Synfyfyrion* 31, ' Moddion Gras ').

Ac anodd dyfynnu gwell esiampl o'r ymdeimlo â thrydan rhai geiriau :

Onid oes grym disgrifiadol yn yr ymadroddion a ddefnyddir
am ddarnio fel hyn ? ' Candryll,' ' cyrbibion ulw,' ' chwilfriw
mân,' ' rhacs yfflon,' ' siwtrws,' ' teilchion,' ac, yng Nghered-
igion, ' jibidêrs ' (*Olion* 18, ' Darnau ')

Dyma frawddeg o dystiolaeth o'r ysgrif ar ' Rhobet ' :

Er mai pysgotwr distaw ydoedd, gan amlaf, dôi weithiau o'i
enau nid yn unig ymadrodd bach pert pan gyffroai pysgodyn
ef, ond hefyd ambell linell o gân neu gynghanedd (*Synfyfyrion*
37).

A dyma eto baragraff sy'n rhoddi'r arddangosfa ymaith a
defnyddio priod-ddull na châi farciau llawn gan Emrys ap
Iwan :

Bu rhyw *goblyn gwamal* o'm mewn yn cynio arnaf *i ddangos fy
ngorchest* a thraethu ' fel antarliwt ' a cheisio ysgrifennu yn ei
lle ryw druth pros (petai hynny'n gwneud rhyw wahaniaeth)
yn null y fydryddiaeth estron fodern-fodern, fel arbrawf a
phenyd,—rhyw gybolfa ryddiaith yn llawn o gyfeiriadau
anghyfiaith a phell-yn-ôl, a dyfyniadau diarffordd, yn gymysgfa
facaronig, yn gymalau gweglyd ac yn beriodau brawychus,—
galimoffri pensyfrdanol, ond ymateliais (*Lloffion* 47, ' Gollyng-
dod ').

Pe bawn heb ddyfynnu'r darn hwn yma, fe fyddwn yn ei godi
yn nes ymlaen yn enghraifft o'r *gusto* a'r peth esgynnol hwyliog
hwnnw sy'n torri allan yn rhyddiaith Parry-Williams pan fydd
yn wfftiol neu ddwrdiol neu wawdlyd.

'Does neb yn mynd i gasglu oddi wrth y dyfyniadau uchod
(gobeithio) fod Parry-Williams yn ymwybodol gofio am y
pwyntiau beirniadol hyn am eiriau ac yn y blaen pan fydd yn
cyfansoddi ; hynny yw, nid yw'n pwyso ac yn mesur ansoddair
ac yn difrifol holi a oes ganddo ' gymdeithasiad ' neu beidio ; ei
reddf a'i gynneddf sy'n dewis y gair iawn iddo, nid rhyw wers-
lyfr o reol. Eto i gyd y maent yn profi ei fod wrth gyfansoddi yn
ymglywed â rhyw alwad greadigol a galwedigaeth artistig. A
darnau o gelfyddyd rhyddiaith yw'r ysgrifau. Nid rhyw faldod
o ysgrifennu gwawnaidd, prentisaidd ; nid hynny ; ond rhydd-
iaith ' saer geiriau.' Y mae ei destunau'n amrywiol iawn, ac y

mae rhai o'i bynciau o natur ' wyddonol,' ac y mae yma awgrym go dda, sef bod rhyw gyfuniad o fethod analytig y gwyddonydd ac o gynneddf artistig y bardd yng ngwead yr iaith. Y mae'r meddwl ymchwilgar, dadansoddol yn manwl archwilio profiadau ac argraffiadau, a rhaid cyfleu'r hyn a gesglir mewn ffordd gofiadwy. Ar ben hynny, y mae wrth natur am drafod ei ddefnyddiau a'i gasgliadau ar lefel athronyddol, ac y mae'r gofynion dadansoddol a gwyddonol ac athronyddol hyn yn mynd i osod straen anarferol ar adnoddau ' normal-eiriadurol ' yr iaith—ac nac anghofier nad gwyddonydd sy'n ysgrifennu gwyddoniaeth, ac nad athronydd sydd yma'n traethu athroniaeth, ond artist yn cyfleu ei argraffiadau mewn modd cofiadwy ac effeithiol. Athrylith yr artist sy'n dewis yr ' union ' air i gyfleu argraff seicolegol neu dosturi neu ofn neu gasineb neu ddrwg-dybiaeth neu edmygedd ; a saer geiriau sy'n lleoli geiriau'n gynganeddol neu'n gyseineddol, ac yn trafod elfennau geiriol yn chwareus, ac yn llunio cyfansoddeiriau. Yr wyf am roi nifer o enghreifftiau—a chyfran fach fyddant o'r cyfanswm a godais yn fy nodiadau ar gyfer y bennod hon. Meddyliwch am yr agwedd gomig, fel petai Disney'n gyfrifol amdani, yn y modd y dewiswyd y gair *byrbwyll* yn y darn hwn am y diferion dŵr ar y wifren delegraff :

> a rhai o'r diferion wedi eu dal ar y gwifrau teligrafft, ac yn symud i'r un cyfeiriad gyda'i gilydd yn rhes ar res, ac ambell ddiferyn byrbwyll yn taro'r nesaf ato a'r ddau'n mynd yn un mawr ac yn methu'n glir ddal gafael ar y wifren ac yn gorfod disgyn i'r ffordd (*Ysgrifau* 54, ' Glaw ').

Sylwer ar y gwahaniaeth rhwng yr ansoddeiriau sy'n sôn am y rhod ddŵr a oedd yn annwyl ganddo a'r peiriant sy'n cynhyrchu pwer i droi rhod :

> Y mae mwy o ryw fath o atyniad mewn olwyn ddŵr radlon, nobl, gyda'i chylchdro hamddenol, nag mewn rhyw dyrbin bach pwysig, gwyllt. Y mae'n fwy o berson o lawer (*Lloffion* 64, ' Troad y Rhod ').

Nid cywirdeb gwyddonol sy'n bwysig mewn disgrifiad o'r fath, ond cysylltiadau personol ac emosiynol ; fel y dengys y gair ' atyniad,' a'r syniad ' mwy o berson.'

Byddai'n anodd cael gair a mwy o dosturi ynddo na'r ansoddair sy'n disgrifio llygaid yr hen geiliog gorchfygedig, yn enwedig fod y cyffyrddiad cynganeddol yn yr un frawddeg :

> . . . a chefais drem drist ar hynt ei fywyd a'i gwymp yn ei lygaid molglafaidd (*Ysgrifau* 25, ' Ceiliog Pen-y-Pàs ').

Yr ansoddair hwnnw wedyn i ddisgrifio'r olwg blith-draphlith sydd ar y dyrfa symudol ar y cei :

> Difyr o beth oedd gwylio'r growd *winglyd* ar ben y cei a rhyw lesg ddamcanu pwy a pheth oedd hwn ac arall (*Ysgrifau* 38, ' Cydwybod ').

Y mae'r elfen ' llesg ' yn wych hefyd, i ddisgrifio sut ddyfalu ydoedd, nad oedd yn bwysig o gwbl a oedd yn iawn ai peidio. Ceir yr un ansoddair i ddisgrifio coeden mewn twll o le trofannol ac y mae ' llesg ' a ' llipryn ' gyda'i gilydd yn cyfleu'r olygfa a thymer y sawl sy'n edrych :

> ambell balmwydden lesg a choed bananas llipryn i'w gweld yma a thraw (*Ysgrifau* 30, ' Yr Ias ').

Am ryw reswm neu'i gilydd y mae lleoli'r ansoddair o flaen y berfenw yn rhoi rhyw rin arbennig i'r mynegiant nas ceid pe bai'r gystrawen yn ' normal ' ; e.e.

> Yr oeddwn yn cysglyd wylio'r llu (*Ysgrifau* 69, ' Y Naill a'r Llall ').

Soniaf isod am gyfansoddeiriau ond fy amcan yn awr yw dewis geiriau neu gyfansoddeiriau am eu bod yn esiamplau o'r gynneddf artistig yn dewis yr union air i gyfleu teimlad. Fe rown i'r nesaf gyda'r goreuon oll lle y disgrifir y daith ar y trên a'r unig gyfle i weld y ddelw o Grist ar ben y mynydd ar y ffin rhwng y ddwy wlad :

> Ar y cyfle mi sylldremiais innau yn eiddgar-lygadog i'r cyfeiriad (*O'r Pedwar Gwynt* 40, ' Crist yr Andes ').

Ond gan ei fod yn sôn am ei ddigasedd llawn cymaint â'i hoffter, a chan fod dychryn a ffieidd-dod yn brofiadau iasol iawn i gyfansoddiad seicolegol rhyfedd o sensitif, nid yw'n syndod o gwbl fod mynych enghraifft o eiriau ganddo wedi eu ' gorsiarsio '

â thrydan annymunoldeb. Yn yr esiampl gyntaf fe geir cronfa o
dair dyfais gyda'i gilydd, y cyfansoddair ei hun, defnyddio
'rhyw' o'i flaen mewn modd bychanol, a chystrawen yr
arddodiad 'o' sydd a'r un effaith â 'thwll o le' :

> Ond nid gweld dinas estron na mynyddoedd mawreddog na
> phobl ddieithr nac wybren o sêr anghynefin a barodd imi
> fynd i fodd yr ymdeimlad hwn cyn profi'r ias y tro cyntaf, ond
> rhyw fudr-esgus o dref fwngloddiol ar forlan Perŵ—y wlad y
> canaswn gymaint am ei haur gynt (*Ysgrifau* 29, 'Yr Ias').

Fe gofir fod Parry-Williams wedi dod ar draws Groegwr ar
fordaith a 'chymryd yn ei erbyn,' ac y mae rhai o'r geiriau sydd
ganddo i'w ddisgrifio nid yn unig yn disgrifio'r gwrthrych ond
yn cyfleu digasedd y goddrych hefyd :

> mai 'porthmon' parrots a myncwn oedd y Groegwr tagellog
> hwn wrth ei alwad. Trawsffurfiasid y Groegwr gweplwyd . . .
> Diau bod y cnaf hudol wedi cynllwyn i ymosod ar greaduriaid
> gwylltion fforestydd Amazon o'r tu ôl o gyfeiriad y gorllewin—
> y gwalch ystumddrwg. Eto, yr oedd y cyniweirydd coedwig-
> oedd hwn yn fy mhyslo fwyfwy . . . (*Ysgrifau* 69-70, 'Y Naill
> a'r Llall').

Y mae rheswm ychwanegol dros ddyfynnu'r esiampl a ganlyn :

> Nid oedd gennyf galon, canys buasai Callao a Lima, ddeuddydd
> cyn hyn, yn ddigon i beri i ddyn roddi ei gas ar y forlan
> orllewinol *adfydus* hon,—*gwlad adwythig* y daeargrynfâu a'r
> sychdwr mawr. Daeth criw o ddynion gwyllt mileinig ar y
> bwrdd . . .

Ni fetha'r cyfarwydd—o leiaf, yn ôl yn y dau-ddegau ni fethai'r
cyfarwydd glywed atsain yma o linellau W. J. Gruffydd :

> Wrth fynd yn ôl i Gymru
> O'r wlad adwythig hon ;

ac y mae'r ymadrodd yn cario'r naws annifyr a roddwyd iddo gan
Gruffydd yn yr Aifft.

Gallwn godi enghreifftiau di-ben-draw o eiriau'n cael eu
gorsiarsio â digasedd neu arswyd, ond rhaid troi at arwedd arall
ar ôl dyfynnu'r esiampl hon. Fe gofir mai ysgolfeistr oedd tad

Parry-Williams a hawdd dirnad beth oedd barn y cartref am yr H.M.I. hen-ffasiwn :

a than guwch bygythiol ambell ddyhiryn o sbector a fu'n cylchu'r ysgolion, ac yn uffernoli bywyd rhai ysgolfeistri yn y dyddiau hynny (*Lloffion* 12, ' Y Llyfr Lòg ').

Nid ' uffernoli ' sydd bwysicaf yma er cryfed gair ydyw, ac nid effaith gynyddol yr holl eiriau annymunoldeb—' cuwch,' ' bygythiol,' ' uffernoli.' Galw'r dyn pwysig yn sbector yw'r strôc anfarwol.

Amcan yr adran nesaf yw dangos sut y trafodir iaith neu ryddiaith mewn dull chwareus, sut y gellir gwneud triciau cellweirus â hi a'i throi'n fath o berfformio—ond cofier nad oes eisiau bod yn ddifrifol-ddifrifol wrth feddwl am berfformio. Gwnawn gam â'm darllenwyr pe bawn yn esbonio'r esiamplau canlynol gan fod y ' gynghanedd ' neu'r elfen barodïol neu'r peth sy'n debyg i air mwys yn amlwg neu heb fod ynghudd ynddynt : ac y mae'n amlwg nad hap a damwain sy'n gyfrifol amdanynt :

robin goch, yr hwn oedd yn syber-gymryd tamaid ar yr un pryd, oedd y ffefryn, ond bod y lleill yn cael braint a briwsion yn ei gysgod (*Ysgrifau* 34, ' Adar y To ').
Ceir tywod mewn cocos ac mewn concrit, mewn siwgwr ac mewn sment (*ibid.* 43, ' Tywod ').
Er eu bod yn fodern i'r eithaf, eto y mae gwedd *a*setig *a*rnynt, *a*c *a*tgof *m*elancoli *m*ynachaidd yr Oesoedd Canol yn llymder eu safiad. Os eir yn ddigon agos atynt, gellir clywed (gan yr un y mae ganddo glustiau i wrando) furmur *p*aderau *p*ell neu *l*eisio *bl*oesg rhyw *l*itani *l*efn. Eto *br*awdoliaeth *b*aganaidd yw'r eiddynt hwy—Urdd Dominig yr *a*wyr *a*gored, Brodyr Duon priffyrdd y byd (*ibid.* 63, ' Polion Teligraff ').
Fe all y gorau a'r sobraf ohonom ymgomio'n *ysgafn-ysgafala* ac yn *joli-joclyd* ambell dro am y pŵerau sinistr hynny sy'n fwganod iddo pan fo'n synio'n ddifrifol am fyw a marw (*O'r Pedwar Gwynt*, 26, ' Rhaib Angau ').
ambell griafolen fach fain a draenen druenus (*ibid.* 71, ' Y Tri Llyn ').
O wybod am y crinder crebachlyd hwn (*Lloffion* 69, ' Arcus Senilis ').

Y mae enghraifft ardderchog yn y gyfrol ddiwethaf o'r modd y mae asbri neu natur chwareus Parry-Williams yn llunio neu'n lled-lunio gair :

> Wrth edrych arnynt y dydd o'r blaen yn rhes o fwndelau taclus mi ddychmygais am ennyd fy mod yn syllu ar y blynyddoedd cofnodedig *wedi ymgnawdoli neu ymbapuroli,* a'm bod i'n gweled gwyrth. (*Pensynnu* 32, ' Nodion Dyddiadurol ').

Ail enghraifft :

> Y mae hyn oll yn swnio fel rhagymadrodd yng nghanol llyfr—canolymadrodd fel petai—ond ... (*Lloffion* 48, ' Gollyngdod ').

A thrydedd enghraifft :

> Yr oeddem fel rhyw fân dderwyddon—neu gollwyddon, i fod yn fanwl gywir (*O'r Pedwar Gwynt* 35, ' Y Coed Bach ').

A sylwer ar effaith ddoniol yr acen ' bwysig ' sydd i'r fannod (mewn llythyren italaidd) wrth ei rhoi o flaen enw priod :

> onid anfonodd Goronwy Ddu o Fôn (*y* Goronwy Owen) gerdd iddo unwaith ? (*O'r Pedwar Gwynt* 71, ' Y Tri Llyn ').

Manteisio y mae yma ar un o ddyfeisiau'r iaith-lafar yn Saesneg a'r Gymraeg, sef defnyddio pwys y llais neu acennu gair na ddylid ei acennu, i bwrpas ' cystrawennol.'

Lleoli geiriau'n saerniol sydd gennyf mewn golwg wrth godi'r enghreifftiau nesaf. Y mae cytbwysedd yn hanfod yng nghyferbyniaeth *ystyr* y ddau bâr yma o gymalau ; ond y mae cytbwysedd hefyd yn y ffurf. Wedyn ar ddiwedd y paragraff ceir dau enw gwrthwyneb eu hystyr yn cael eu cyfosod yn yr un dull cytbwysol, ac fe allwn i ddyfynnu'r ddau air hyn yn enghreifftiau o'r hyn a alwaf yn ' suppressed syntax ' :

> Gŵr doeth ydoedd, ond heb fod yn gall ; dywedai'r gwir : siaradai'n ynfyd. Daeth rhai o'i ddywediadau i'm cof ; ' Os am wneuthur cyfaill, dyro'r cynnig cyntaf i gi ' ; ' Y mae pob dyn yn ei ladd ei hun ' ; ' 'Does neb yn anhepgorol ' ; ' Twyll ydyw sail popeth—gêm ydyw hi i gyd.' *Ynfytyn : proffwyd* (*Ysgrifau* 21, ' Oedfa'r Pnawn ').

Nid oes corff o reolau, wrth reswm, i ryddiaith, fel sydd i gerdd dafod ; ond bob hyn a hyn fe geir brawddegau a rhyw lunieiddra ynddynt yn newisiad a threfn y geiriau a bair i'r darllenydd deimlo fod ysbryd yr hen gerdd dafod ar grwydr yn nhiriogaeth rhyddiaith. Nid damwain yw'r ddwy *d* a'r ddwy *c* a'r ddwy *s* :

Y mae deddf drugarog cydbwysedd cyffredinol yn drech na simsanrwydd serfyll unigolion (*Ysgrifau* 44, ' Tywod ').

Yr un peth eto wrth leoli'r pâr o enwau, a'r ddau bâr o ragenwau personol :

Wedi ciledrych ar ein gilydd y tro cyntaf, *gringo*, efallai, oeddwn i iddo ef, a *dago* yntau i minnau (*ibid*. 68, ' Y Naill a'r Llall ').

Yn y dyfyniad nesaf, ceir crynhoad eithriadol o'r cyffyrddiadau awenyddol, math o gyseinedd ryddiaith, cydbwysedd wrth gydleoli ymadroddion, dilyniant o enghreifftiau o arfer y gair ' pob,' a rhyw glic o gloi yn y ddau air diwethaf sy'n esiampl ragorol o gynildeb ' hepgor cystrawen ' :

Yn hwn—ac nid oes ymennydd ond o ymennydd arall—y ganwyd pob dyhead ac y gwelwyd pob gweledigaeth ; ynddo ef y cychwynnwyd pob cythreuldeb, ac y deorwyd pob dymunoldeb. Offeryn bendigedig, melltigedig (*Lloffion* 67, ' Arcus Senilis ').

Fe gofia'r rhai sy'n gyfarwydd â'r Pedair Cainc am y frawddeg nodedig honno yn stori Manawydan, am effaith y niwl ar Ddyfed :

A phan edrychyssant y ford y guelyn y preideu, a'r anreitheu, a'r kyuanhed kyn no hynny, ny welynt neb ryw dim, na thy, nac aniueil, na mwc, na than, na dyn, na chyuanhed, eithyr tei y llys yn wac, diffeith, anghyuanhed, heb dyn, heb uil yndunt . . .

Nid damwain sy'n gyfrifol am saernïaeth ac effaith y frawddeg hon. Ynddi fe welir yr effaith gynyddol esgynnol sy'n dod o ail adrodd yr un ymadrodd. Ceir effaith gynyddol esgynnol debyg yn saernïaeth y brawddegau hyn, a grisiau'r esgyn yw'r dilyniant o barau geiriol :

Nid oedd yno blasty—na'i ofn, na mynwent—na'i dychryn, nac eglwys—na'i hynafiaeth . . . yr oedd popeth yno—tad a mam, brawd a chwaer, mab a merch, heb sôn am fwyd a diod, tân a chysgod, llyn ac afon, mynydd a nefoedd (*Lloffion* 72, ' Y Trên Bach ').

Wrth drafod egwyddorion rhyddiaith slawer dydd, ceisiais ddangos fod elfen ' ddyfyniadol ' yn britho'n rhyddiaith ni. Un rheswm am y duedd hon, efallai, yw hyn, mai llenyddiaeth ar gyfer llenorion yw rhan fawr o'n cynnyrch. Yr oedd yn hawdd iawn, ac yn naturiol iawn, i draethodwyr a chofianwyr y ganrif ddiwethaf, ddyfynnu a lled-ddyfynnu'r Beibl, gan fod cylchrediad cyffredinol i adnodau a phriod-ddulliau'r Beibl ymhlith y darllenwyr. Y mae Parry-Williams wedi ei gyflyru gan y traddodiad hwnnw ac y mae olion y cynefindra yma ag iaith y Beibl a'r emyn a'r bregeth ar ei ryddiaith. Ond heblaw ieithwedd y capel, y mae llenyddiaeth Gymraeg o bob cyfnod wedi bod yn gynhysgaeth iddo, a chan mai rhai tebyg i aelodau ei ddosbarthiadau a mynychwyr y Babell Lên fyddant, fe all fentro dyfynnu neu lunio ' lled-ddyfyniad ' a disgwyl i'w ddarllenwyr ymateb. Gan mai'r darllenwyr hynny sy'n debyg o ddarllen y gyfrol hon, nid rhaid esbonio neu nodi ffynhonnell wrth godi'r ychydig esiamplau yma'n awr. Nid rhaid dyfynnu'r esiampl honno sy'n adlais o ' gwlad adwythig ' W. J. Gruffydd, ond fe ddigwydd mewn ysgrif sy'n sôn am gyrraedd ' rhyw fudr-esgus o dref fwngloddiol ar forlan Perŵ—y wlad y canaswn gymaint am ei haur gynt.' (*Ysgrifau* 29, ' Yr Ias '). Ymhen rhai paragraffau, ceir ' Yr achlod fawr ! O holl ddiffeithleoedd y ddaear ! "Trigfa'r dreigiau a'u gorseddfa". Clwstwr o gytiau pren a tho sinc arnynt . . .' Efallai fod y ffordd hon o godi esiamplau o ' ddyfynnu ' yn methu dangos mor addas a phwrpasol yw'r dyfyniad fel y cyfryw. Eled y darllenydd at y testun ei hun i brofi hyn.

Ac y mae'r rhew glân, tryloyw hwn yn ddu. Fe wyddai Job hynny, canys y mae'n cyfeirio yn rhywle at ei frodyr wedi ei dwyllo ' megis afon ' ac wedi mynd heibio fel ' llifeiriant afonydd, y rhai a dduasant gan rew ' (*O'r Pedwar Gwynt* 38, ' Rhew ').

Cyfieithiad o ' thou pale Galilean ' Swinburne sydd yn y frawddeg hon :

Y mae'n odiach fyth ymsynio ei fod ef, y Galilead gwelw gynt, yno mor bell o'i hen gartref (*ibid.* 40, ' Crist yr Andes ').

Nid rhaid esbonio'r esiampl nesaf :

Gresyn na ellid darganfod a dewis person felly rywsut, a'i osod i fyw yn un o gilfachau tawel teml Eryri, dyweder. Byddai pawb a geisiai ar dro gymundeb ag ef, yn gwybod ei fod yno yn rhywle *yn barod o hyd i wrando cri*, fel petai, ac i gydymdeimlo â thruan ŵr yn ei wewyr ysbrydol (*ibid.* 64, ' Archoffeiriad ') ; a'u harwain i'r porfeydd pysgodog (*ibid.* 76, ' Y Tri Llyn ') ; Y ffatrwr, o enweiriog goffadwriaeth (*ibid.*) ; Ciliasai o'r ffatri i'r llyn, fel petai, wedi i honno ddistewi a mynd yn fud (*Synfyfyrion* 37, ' Rhobet ') ; ac yn wahoddiad i bererinion blinderog a llwythog daflu eu baich oddi ar eu gwar a chael esmwythâd . . . (*ibid.* 45, ' Mynwent ').

Gobeithio nad oes raid imi brofi'r honiad, sef bod ieithwedd yr ysgrif yn ffinio rywfodd â barddoniaeth. Gwir fod perygl i'r dull yma o sgrifennu fynd yn faldodus ddisylweddol, ond y mae'n rhan o ddefod yr ysgrif i sgrifennu'n feistraidd neu'n gelfydd a lliwgar, ac yn ' greadigol,' fel bardd. Nid dewis bod yn greadigol fel bardd y mae ; hynny yw, nid dynwared bardd y mae ; rhaid iddo fod yn greadigol er mwyn cywir gyfleu ei fyfyrdodau dadansoddol a'r pethau od a dieithr sydd ganddo i'w dweud. Un o'i gyfryngau yw llunio cyfansoddair drwy newid trefn dau air a gosod ansoddair traethiadol o flaen berfenw. Fe fydd rhai'n barod i gollfarnu hyn a'i alw'n glyfrwch neu'n dric hawdd, ond dywedent a fynnont, y mae rhywbeth yn nheithi'r iaith sy'n gyrru llenor i arfer y ddyfais hon, am fod rhyw ansawdd o ddwyster neu o effeithiolrwydd ynddi. Fe fydd y ddwy enghraifft hyn yn ddigon i gynrychioli dyfais y berfenw cyfansawdd :

. . . robin goch, yr hwn oedd yn syber-gymryd tamaid ar yr un pryd oedd y ffefryn (*Ysgrifau* 34, ' Adar y To ') ; nid rhyfedd fod pawb . . . yn cynhyrfus lygadrythu ar yr arwyddion (*Lloffion* 35, ' Oerddwr ').

Wele restr fer hefyd o ansoddeiriau cyfansawdd : rhyw *fudr-esgus* o dref fwngloddiol ar forlan Perŵ (*Ysgrifau* 29, ' Yr Ias ') ;

fy nghydwybod euog-ddieuog yn codi bwganod ac yn boenus o effro (*ibid* 41, ' Cydwybod ') ;

Nid ydynt hwy fel y polion lampau uchelfryd sy'n . . . hobnobio'n ffug-gymdeithasgar gyda phawb (*ibid*. 61, ' Polion Teligraff ') ;

a phrofodd ias gynhyrfus o ddychryn wrth gael cip eiliad ar wyneb hagr, dwfn-lygeidiog, blêr-farfog a safnrhwth yn ymestyn yn gynnil-newynog heibio i ymyl rhisglog y pren ywen (*O'r Pedwar Gwynt* ' 27, ' Rhaib Angau ').

Ceir gair arall am y gŵr hwn ar yr un tudalen, ' 'r gŵr beddrotgar hwnnw.' Ac ar ddiwedd yr ysgrif, ceir hyn am hen, hen wraig : ' Ac meddai hithau yn sychlyd ddiddannedd.'

Pe bawn i am gellwair, fe luniwn ddamcaniaeth fod y cysylltnod sydd yn enw Parry-Williams wedi bermanu yn ei isymwybod llenyddol a'i gymell i lunio cyfansoddeiriau heiffenedig. Fe sylwodd pawb, mae'n debyg, fod y fath gyfansoddeiriau'n britho'i ysgrifau, ond nid pawb sydd wedi dyall mai ffrwyth yr awen neu'r asbri ysgrifol-chwareus ydynt ar y cyfan, a rhaid taeru yma eto fod gormod yn ein plith yn darllen ysgrifau heb synnwyr digrifwch. Y mae esiamplau elfennol o'r cyplysiadau hyn ar lafar gwlad ; sonnir am enghraifft yn yr ysgrif ' Tywod ' sef ' y peth-berwi-wyau ' (*Ysgrifau* 44). Y mae rhyw ansawdd beth-ŷch-chi'n-galw arnynt : nid oes gair cydnabyddedig ar gael, a defnyddir y peth *ad hoc* yma oherwydd hynny. Mae dweud hynny'n help i ddyall pam y defnyddia Parry-Williams y ddyfais hon mor aml, sef bod ganddo achos o hyd ac o hyd i sôn am bethau ac argraffiadau ac emosiynau nad yw hyd yn oed yr eirfa lenyddol barod yn gwneud y tro i'w cyfleu. Triwch feddwl am beintiwr a nifer o liwiau parod ganddo mewn tiwbiau : hyd yn oed os oes ganddo fwy nag un math o las neu o wyrdd, ni all fod ganddo ddigon at y mân wahaniaethau o las a gwyrdd yn yr awyr a'r môr a'r borfa a'r coed, a'i gamp arbennig ef fydd cyfuno a chymysgu'r defnyddiau parod fel hyn ac arall er mwyn cael hyd i'r arlliwiau sydd eisiau arno i'r dim. Y mae'r eglureb hon yn help i esbonio'r gyfran fawr o greu a tharddu a benthyca ac addasu yng ngeirfa Parry-Williams. Mentraf gredu mai Parry-Williams yw'r llenor mwyaf creadigol yn yr ystyr arbennig yma yn hanes ein llenyddiaeth. A heblaw bod eisiau'r cyplysiadau hyn

arno yn awr ac yn y man, fe welai fod yma gyfle i gael tipyn o
sbri ac o gyflawni mân gampau—enghraifft dda iawn o ' making
a virtue of a necessity.'

Ni ellwch beidio â gweld yn y cyswllt hwn, ac wrth sbïo ar rai
o'r enghreifftiau, fod yr iaith Gymraeg heb feddu'r mecanism
sydd gan Saesneg llenyddol cyfoes, sef yr hawl i droi pob math o
air ac ymadrodd yn ansoddair—' cut-price cigarette controversy '
etc., a bod llenor fel Parry-Williams yn cael ei yrru gan rywbeth
cymysg o genfigen ac edmygedd o'r fantais hon sydd gan y
Saesneg. A mantais arall sydd gan y Saesneg yw'r gynneddf i
lunio haniaethau yn gwbl ddidrafferth. A champ aruthrol Parry-
Williams yw ei fod yn trafod defnyddiau gwyddonol neu bwnc
cyffredin mewn modd athronyddol nes bod eisiau haniaethau a
tharddeiriau ac ansoddeiriau fel sydd ar arfer yn Saesneg, a'i fod
yn llwyddo i wneud hyn mewn ffordd Gymraeg, a heb fod yn
slafaidd ddynwaredol a di-briod-ddull. Peidied neb â'i dwyllo ei
hun fod modd gwneud hyn drwy gael hyd i hen eiriau traddod-
iadol ar lafar gwlad a meddwl fod ' cwlwm perfedd ' yn golygu
appendicitis ; wedi'r cwbl, yn 1886 y defnyddiwyd *appendicitis*
gyntaf, yn Saesneg (ac nid cwlwm yn y perfedd ydyw, sut
bynnag ; o ddefnyddio cwlwm perfedd, onid am ' strangulated
hernia ' y dylid ei ddefnyddio?).

Yn y rhestr isod o ' gyplysiadau,' fe welir fod rhai'n ddigon
syml ond bod rhai'n estyniadau go helaeth o'r ddyfais ; a phan
ddeuir at enghraifft sydd yn gyfieithiad digywilydd o ' breath-
taking,' mwynhaer y digrifwch a geir o drosi idiomau Saesneg yn
llythrennol :

> ddwy neu dair offis-gwmni-llongau ddigon parchus yr olwg
> (*Ysgrifau* 30, ' Yr Ias ') ;
> gŵr cyffredin, dyn ffordd, di-grwydro-ymhell (*ibid.* 71,
> ' Y Naill a'r Llall ') ;
> yn ôl y ffurf-ymyl-dalen ddiweddar (*O'r Pedwar Gwynt* 9,
> ' Lilith ') ;
> am hen ddyn-trwsio-clociau (*O'r Pedwar Gwynt* 13, ' Y Drefn');
> Rhoes hwnnw gyfarwyddyd call byd-hwn iddo . . . Yr oedd
> yr ystori hon yn ddramatig ac yn ddwyn-anadl dros ben
> (*ibid.* 14, ' Y Drefn ') ;
> droi'r hen lysywen wiberog a phell-oddi-cartref honno a

welswn o fewn ergyd carreg i ddrws fy nghartref (*ibid.* 22,
' Llysywod ') ;
byddai'n hoffi cwmni weithiau, ond buan y datblygodd yn
ar-ei-ben-ei-hunwr (*Lloffion* 60, ' Pen yr Yrfa ') ;
  wrth ddilyn mewn dychymyg hynt yr aderyn-pregeth hwn
am y gweddill o'r oedfa (*ibid.* 79, ' Idoc ') (hynny yw, aderyn
hollol ddieithr y clywyd sôn amdano mewn pregeth) ;
'r mannau bach diarffordd nes-i-gartref (*Synfyfyrion* 19,
' Dau Le ') ;
cyfaredd gweld-y-tro-cyntaf (*ibid.*) ;
Yr oedd aroglau ac awyrgylch diwedd-Sul wedi-oedfa capel-
gwlad dros bopeth (*ibid.* 21) ;
peiriant tanio o'r tu-mewn (*ibid.* 25, ' Grisial '—' internal
combustion engine ').

Y mae ambell gystrawen sy'n debyg i'r enghreifftiau uchod am
fod yn rhaid wrthi hyd yn oed os ydyw'n ' anghymreig ' o ran ei
chyfansoddiad. Fe fyddai cywiriadur yn anghymeradwyo'r peth
beiblaidd anghywir yn y canlynol, ond y mae Parry-Williams
wedi mynnu ei ddefnyddio er mwyn asio'r geiriau a ddyfynnir
wrtho :

Ni wn pa liw ydyw i fochyn. Coch ? fel y mae'n debyg i
Gulhwch gynt, cleddyf yr hwn a ' ddygyrchai y gwaed ar y
gwynt ' (*Ysgrifau* 78, ' Gweld y Gwynt ').

Y mae hyn yn gosod straen ar gystrawen y Gymraeg ei hun a
dyna'r math o nodiad sydd gennyf ar ymyl y ddalen ar ôl darllen
y rhain :

er i'r rheini fod heb fod yn gysylltiedig uniongyrchol bersonol
ag ef ei hun (*Lloffion* 23, ' Hen Chwareli ') ;
a chael gair gyda rhyw bagan oedd yn meiddio bod yn esgeul-
uso'r ' moddion ' wrth wagsymera heb fod yn nepell o'r
addoldy (*ibid.* 71, ' Y Trên Bach ') ;
y mae'n anodd dweud ambell dro pa bryd y byddir wedi bod
yn myfyrio (*Synfyfyrion* 17, ' Llenydda ').

Yr wyf yn mynd i godi crugiau o ddyfyniadau yn awr a
geiriau tardd ynddynt, er mwyn i'r amlder enghreifftiau ddod i'r
golwg. Dim ond ymchwilwyr geiriadurol a all brofi ai Parry-

Williams a luniodd y geiriau hyn : mentraf gredu mai ef biau rhai ohonynt ; nid hynny sy'n bwysig, ond fod eisiau'r tarddeiriau hyn arno, yn enwau haniaethol ac ansoddeiriau a berfau, at ei waith dadansoddol a chelfyddydol, fel petai'n llawfeddyg yn galw ar ei gynorthwywyr yn yr ysbyty i estyn y gwahanol offer iddo.

Defnyddio'r terfyniadau -adwy, -edig, -ol, -ig, -lyd, -aidd -gar :

cydymdeimladwy (*Ysgrifau* 9) ;
yn ddarn datodadwy (*ibid.* 11) ;
nac esbonio dim o ddyn na'r cread yn drosglwyddadwy i eraill (*O'r Pedwar Gwynt* 63) ;
'r poteli labeledig (*ibid.* 16) ;
Y mae trobwyntiau dyrys ac arbennig o benderfynegol felly ar linell cwrs gweithrediadau'r Drefn (*ibid.* 15) ;
'rhen beth anfarchnadol hwn (*ibid.* 19) (='llysywen') ;
agosatol (*ibid.* 22) ;
Bendigedig o fyw naturiol, awyragoredol braf (*ibid.* 47) ;
o'r baddonau bach diheintiol (*ibid.* 48) (=' antiseptic ') ;
yr agweddau dirgeledigaethol ac anghysurus hyn ar Lyn Cwellyn (*ibid.* 83) ;
Diben digon materol a defnyddioldebol (*Lloffion* 52) ;
y newydd trist Chwefrorol hwn (*ibid.* 61) ;
ar rawd amhwyllig gyson (*Ysgrifau* 45) ;
yn ddaemones anifeilig (*O'r Pedwar Gwynt* 11) ;
fel delweddau embryonig hollol annatblygedig ar wynder fflat y papur (*Lloffion* 46) ;
Edrychai'n ddiniwed a cholomennaidd (*Ysgrifau* 76) ;
na thraethu'n solomonaidd (*Lloffion* 9-10) ;
ffordd go adnabyddus a thrafnidlyd yn awr (*O'r Pedwar Gwynt* 70) ;
anymwthgar (*Ysgrifau* 72) ;
ffug-gymdeithasgar (*ibid.* 61) ;
'r gŵr beddrotgar (*O'r Pedwar Gwynt* 27) ;
yr enwau tlws a choetgar hyn (*ibid.* 71).

Y rhagddodiad *an*–
nid yw'n anfelys (*Ysgrifau,* 9) ;

ei briod bethau anniweddar a difyr o gartrefol (*Lloffion*, 75) ;
(cyferbyniad â phethau cyfoes, newydd sôn amdanynt).

Nid dyna'r cwbl y gellid ei ddyfynnu ; cynrychiolaeth sydd
uchod ; a sylwer ymhellach fod rhai o'r terfyniadau uchod yn
digwydd oddi fewn i enwau tardd, e.e. y terfyniad -gar yn yr
enw *encilgarwch.*

Berfenwau tardd :
a'r meddwl yn trwstaneiddio ymlaen (*Ysgrifau* 68) ;
a hen wylltineb barbaraidd ei hil gyntefig wedi ymlarieiddio'n
orawen tyner yn ei natur hynaws (*ibid.* 71) ;
ac yn uffernoli bywyd rhai ysgolfeistri yn y dyddiau hynny
(*Lloffion* 12).

Enwau haniaethol :
rhyw bendraphendod meddwol . . . yr oedd sylweddoliad
pellter a'r elfen o ddigynorthwywch terfynol (*Ysgrifau* 31) ;
eithafrwydd (*ibid.* 32) ;
y mae pwys tyndra disgwyl . . . droi'n ddirdyniad dihoenus . . .
dwysáu annymunoldeb y dyfod anhyfryd (*ibid.* 48) ;
oherwydd rhinwedd sy'n pylu hydeimledd yw amynedd
(*ibid.* 49) ;
fel hyn y saif y galon yn angau—y disymudrwydd mawr
anesgor hwnnw nad yw na diwedd na dechrau (*ibid.* 51) ;
yn ddewin pendraphendod (*ibid.* 73) ;
heb allu beiddio'u taflu allan o'r golwg i'r anweledigrwydd
terfynol hwnnw sy'n llyncu ysbwrial dynoliaeth mor llwyr
(*O'r Pedwar Gwynt* 16) ;
ond bod tyngedfenolrwydd hynny heb wawrio arnaf (*ibid.* 23);
ei gartrefolrwydd a'i ddiaddurnedd (*ibid.* 79) ;
ei hud a'i encilgarwch (*ibid.* 79) ;
ei lanceiddrwydd (*ibid.* 80) =(am y llyn) ;
annhueddrwydd cynhenid (*Lloffion* 10) ;
yn hynafiaetheg, neu'n hobi ddiddorol, hynny yw, yn hen-
ffasiyneg (*ibid.* 22) ;
yn bethau dichonol . . . neu fod dichonder cyfanrwydd yn eu
nodweddu (*ibid.* 39-40) (' potential ') ;
y cychwynnwyd pob cythreuldeb ac y deorwyd pob dymunol-
deb . . . (*ibid.* 67) ;

nod y crabedrwydd melltigedig hwnnw (*ibid*. 68) ;
y crinder crebachlyd hwn (*ibid*. 69).

Y peth y dylwn i ei wneud, efallai, yw dangos, drwy ddyfynnu
digon o gyd-destun, mor effeithiol yw'r geiriau tardd hyn lle y
digwyddant ; ond dim ond rhoi fy mys arnynt a allaf i, rhaid i
bob darllenydd glywed effeithioled ydynt ei hunan. Mentraf sôn
am un elfen yn fy ymateb fy hunan. Nid ofer hollol fyddai sôn
eto am ddiddordeb Parry-Williams mewn pynciau gwyddonol a
dehongliadau athronyddol-wyddonol a naturiol disgwyl i'r
defnyddiau a'r dull o synio ymenyddol esgor ar eiriau megis
' dichonder ' a ' defnyddioldebol ' ac eraill tebyg. Ond nid
hynny yn y diwedd sy'n esbonio ei fod yn sôn am ' lanceidd-
rwydd ' llyn, a ' disymudrwydd ' angau, a'r ' anweledigrwydd '
hwnnw sy'n llyncu ysbwriel y ddynoliaeth. Rhyw gynneddf
reddfol sy'n gyfrifol am y rhain, y gynneddf sy'n clywed *hanfod*
yn hytrach na haniaeth, a hanfodau yw llawer o'r enwau ' han-
iaethol ' uchod ; fe ellir clywed rhyw fath o brofiad ynddynt ;
peth y mae Parry-Williams yn ei brofi'n bersonol ; ac weithiau y
mae digon o eiriau yn y cyd-destun i ddangos mai profiad ydyw,
e.e. ' ond bod tyngedfenolrwydd hynny heb wawrio arnaf';
' dwysáu annymunoldeb y dyfod anhyfryd.'

A pheth arall a deimlir yn yr ymateb i'r ieithwedd hon a'r
geiriau tardd haniaethol yw rhyw ychydig o ' ddrwgdybiaeth,'
fel petai, fod Parry-Williams wrth lunio'r rhain yn ' trosi ' o'r
Saesneg. Wel, ydi, ydi, wrth reswm, ond peidiwn â meddwl fod
Saesneg yn ddrygnawsedd, neu'n gwmni gwaharddedig. Drwy'r
Saesneg y mae'r pynciau deallol a'r syniadau haniaethol hyn yn
dod i ymwybod llenor o Gymro'r dydd heddiw ; a'r unig
ffordd i beidio â bod yn ' seisnigaidd ' yw peidio â thrafod y
defnyddiau hyn o gwbl a'n cyfyngu'n hunain i'r chwarel a'r
aradr. I gymryd un enghraifft syml. Y mae gwyddor Seicoleg
wedi lledaenu diddordeb yn yr hyn sy'n digwydd yn y meddwl a'r
enaid. Wrth feddwl am wrthrychau neu bethau yn ein profiad,
anodd yw eu didoli oddi wrth bethau eraill sy'n gymhleth
gysylltiedig â hwy, yn gofion ac yn deimladau, a'r gair a ddefn-
yddir yn Saesneg am y glyniadau hyn sydd ynglŷn â'r *peth* yw
' associations,' ac er nad hynny yw ystyr ' cymdeithas,' os ydym
ni am drafod syniadau fel hyn yn Gymraeg, rhaid i ninnau

orfodi'r gair *cymdeithas* (neu air tebyg) i gyfleu pa ystyron bynnag
y disgwylir i ' association ' eu cyfleu (yn ôl y cyd-destun) yn
Saesneg. Oherwydd hyn y mae rhyw ymwybod â chefndir neu
ffynhonnell Saesneg yn anocheladwy neu'n anesgor—am y tro
beth bynnag, tra bôm ni yn y cyflwr hwn o ddibyniaeth ar
Saesneg. Wrth ddod ar draws ' penderfynegol,' y mae'r gair y
mae'n gyfieithiad ohono, sef *determinist* fel cocŵn yn glynu wrtho.
Dyna'r enghraifft o ' gymdeithasiadau ' : y mae hen gymdeithas-
iadau yn rhoddi naws ac egni arbennig iddynt, *Lloffion* 55 (sôn am
eiriau). Pan ddarllenir—' Diben digon materol a defnyddioldebol
. . . gyda chryn dipyn o gyfreithlonrwydd,' *Lloffion* 52, pwy a all
beidio â meddwl am y geiriau y mae'r rhain yn gyfieithiad
ohonynt—' utilitarian ' a ' justification.' Ac yn y dadansoddiad
nodedig hwnnw o'r ' Ias ' lle ceir y geiriau—' yr oedd sylwedd-
oliad pellter a'r elfen o ddigynorthwywch terfynol,' y mae'r
lledrithiau ' realization ' neu ' awareness of distance ' ac ' utter
helplessness ' yn hofran o gwmpas. Weithiau y mae'r trosi o'r
Saesneg yn gellweirus a chollir y cellwair yn llwyr os methir â
chanfod y ' gwreiddiol ' Saesneg a'r modd y defnyddir y cyfieith-
iad Cymraeg. Galwer i gof yr ysgrif sy'n sôn am weld llysywen
fawr yn agos i'r tŷ ac am y syniad a ddaw i feddwl Parry-Williams
pan â ymhen blynyddoedd drwy'r Môr Sargasso, sy'n nythle i
holl lysywod y byd, ei fod yn dod ar draws yr hen lysywen a
welsai gynt :

> . . . droi'r hen lysywen wiberog a phell-oddi-cartref honno a
> welswn o fewn ergyd carreg i ddrws fy nghartref, yn ymlusgiad
> llyfnloyw ac agosatol, pan ailgyfarfuom, *yn rhinweddol felly,* yn
> nyfroedd Geneufor Mexico (*O'r Pedwar Gwynt,* 22).

Ni wêl neb arwyddocâd y geiriau a italeiddiais oni chofia mai
cyfieithiad cellweirus sydd yma o'r adferf ' virtually,' yn yr
ystyr ' although not in fact the case, almost amounting to that.'
    Un peth amlwg, amlwg yng ngeirfa ac arddull Parry-Williams
yw'r geiriau tafodieithol neu heb fod yn ' llenyddol ' a ddefnydd-
ia. Yn ei farddoniaeth ef y cewch chi ymadroddion fel ' Car-
idyms yr ystrydoedd cefn,' ac er mwyn iawn brisio hyn, galwer i
gof arddull John Morris-Jones a T. Gwynn Jones a W. J. Gruffydd
a Williams Parry ac anaml, os o gwbl, y ceir dim byd tebyg i hyn
ganddynt. Y mae'n help inni ddyall y duedd hon yn Parry-

Williams os cofiwn ei fod yn galw ei benillion yn ' rhigymau.'
Rhywbeth yng nghymeriad Parry-Williams yw hyn, rhyw elfen
o ryfyg ac o wrthwynebiad i or-urddas a ffurfioldeb. A mantais
fawr y geiriau llafar-gwlad yma, byddent Gymraeg neu fenthyc-
iadau o'r Saesneg, yw fod cymaint o naws o'u cwmpas ac yn
treiddio drwyddynt, naws o anffurfioldeb neu o wawd neu hyd
yn oed o chwerthiniad. Er mwyn blasu'r esiamplau hyn yn
iawn, fe ddylid darllen y cyd-destun yn llawn :

hobnobio'n ffug-gymdeithasgar gyda phawb (*Ysgrifau* 61) ;
a'r holl baraffernalia sydd yn gysylltiedig â'r rhain (*O'r Pedwar
Gwynt* 11) ;
Yr oedd synio bod hen lyngyren o lysywen mor fileinig yr
olwg mor agos i'r tŷ yn styrbiol (*ibid.* 20) ;
llyn bach cartrefol a di-lol a digwafars (*ibid.* 76) ;
gwylio trên bach yr Wyddfa yn pwllffacan yn fyglyd i fyny
i'r top (*ibid.* 78) ;
rhyw gybolfa ryddiaith . . . yn gymysgfa facaronig . . .
galimoffri pensyfrdanol (*Lloffion* 47).

Un peth arall sy'n rhoi rhyw arbenigrwydd i ryddiaith Parry-
Williams yw'r hyn a elwais yn ' suppressed syntax.' Efallai nad
yw'r ymadrodd technegol hwn ddim yn cyfleu llawer i rai heb
fod yn gyfarwydd â thrafod iaith ; ond fe welant ystyr y priod-
ddull ' un gair cystal â chant ' ac y mae hynny'n dod yn agos at yr
ystyr. Fe ellid dadlau fod rhai enghreifftiau'n ' frawddegau
enwol,' ond y gwir yw fod y dull yma o ollwng gair neu ddau o'r
genau yn debycach i winc y llygad neu ysgwyd pen neu wneud
clemau ar wyneb. Cyfeiriwyd o'r blaen at yr enghraifft nodedig
honno yn ' Oedfa'r Pnawn' : ' Ynfytyn : proffwyd.' Ceir
esiampl debyg i hon, sef cyfosod dau air cwbl groes eu hystyr,
yn yr ysgrif ' Arcus Senilis ' :

Yn hwn—ac nid oes ymennydd ond o ymennydd arall—y
ganwyd pob dyhead ac y gwelwyd pob gweledigaeth ; ynddo
ef y cychwynnwyd pob cythreuldeb ac y deorwyd pob dymun-
oldeb. Offeryn bendigedig, melltigedig (*Lloffion* 67).

Cyfieithiad o *In vino veritas* yw'r crynoder hynny sydd yn
' Gair o brofiad '—' Yn y gwin, gwirionedd ' (*O'r Pedwar
Gwynt* 21). A math arall o grynoder neu gynildeb yw'r geiriau

' mynd i fod wedi bod ' (*ibid.* 21) ; y mae'r arbed yn y fan yma yn cryfhau'r elfen o wrthddywediad. Yn yr un ysgrif ceir :

> . . . droi'r hen lysywen wiberog a phell-oddi-cartref honno a welswn o fewn ergyd carreg i ddrws fy nghartref, yn ymlusgiad llyfnloyw ac agosatol, pan ailgyfarfuom, yn rhinweddol felly, yn nyfroedd Geneufor Mexico. Hen gysylltiadau (*ibid.* 22).

Ni ellir gwell enghraifft o ' un gair cystal â chant.' Ond yr enghreifftiau mwyaf crefftus yw'r rheini sydd yn yr ysgrif ' Bwrn,' y gyntaf yn *Olion*. Ar ddiwedd y darn cyntaf ceir, '—Lol i gyd ? Efallai.' Ar ddiwedd yr ail ran, '—Nerfau ? Lled debyg ' ; ac ar ddiwedd yr ysgrif yn deg, '—Dwl ? Diamau.'

Ychwanegaf innau fy enghraifft fy hunan o hepgor cystrawen— Gwych. Amen.

Y BEIRNIAD LLENYDDOL

gan D. MYRDDIN LLOYD

GYDAG ymadrodd a geir gan Syr Thomas Parry-Williams yn ei soned i Ddafydd ap Gwilym y dymunaf gychwyn, sef y geiriau ' Ias y Gymraeg.' Dyma hwy yn eu cyswllt :

> Ni wyddom chwaith pa famaeth gynt a roes
> Ias y Gymraeg yn ei leferydd ef.

Byddaf yn sôn mwy nes ymlaen am bwysigrwydd yr ymdeimlad o ias yn null yr athro o amgyffred ffynhonnell yr awen, ond yn y fan hon yr ymdeimlad iasol mewn perthynas â'i famiaith sydd gennyf mewn golwg. Ac yma gallwn ei gyferbynnu â'i rag-flaenydd fel prif feirniad yr Eisteddfod Genedlaethol, sef Syr John Morris-Jones. Yr oedd, wrth gwrs, i'r iaith ei lle canolog ym mryd y ddau, ac am y ddau hyn yn anad neb yn ein canrif ni y gellir dweud na ddichon i'r iaith lenyddol Gymraeg fyth mwy fod yr un fath ar eu hôl. Ond llwyr wahanol yw dylanwad y ddau, a'r un modd eu syniad am natur yr iaith lenyddol. Haws meddwl am Syr John yn sôn am raen yr iaith nag am yr ias a gyffroai hi ynddo. Effaith cyntaf yr heniaith, hyd yn oed ar wefusau ei anwylyd, oedd rhoi iddynt eu *lluniaidd* dro. A gofalu am y graenusrwydd a'r llunieidd-dra a feithrinwyd i'r Gymraeg gan olyniaeth o feirdd clasurol, a'i chadw'n bur a dilwgr, oedd un o bennaf swyddi beirniad llenyddol yng Nghymru. Yr oedd yna stôr o eiriau a ffurfiau a phriod-ddulliau cymwys i feirdd o safon eu harfer, ac yr oedd yn berffaith amlwg i Syr John o ba gronfa y dylid eu cael, gan osgoi pob ffynhonnell arall. Gwaith y beirniad oedd deddfu, a chynnal safonau parhaol. Ac yn y cyflwr y cafwyd yr iaith a dirnadaeth o werthoedd llenyddol ar y pryd, diau mai llesol tros ben oedd y cyfnod o glasuriaeth lem Syr John.

Rhoes yr Eisteddfod iddo lwyfan gwych yn ystod ei deyrnasiad o ryw ddeng mlynedd ar hugain, ond llais tra gwahanol a glywir yn aml oddi ar yr un llwyfan yn ystod y blynyddoedd dilynol. Gwrandawer, er enghraifft ar yr Athro T. H. Parry-Williams ym Mhen-y-bont (1948) : ' Awdl "glasurol" ei harddull, fel y buasid yn disgwyl i Gruffydd Robert ei hun ymadroddi.

Er nad wyf i fy hun, *o safbwynt heddiw,* yn cael blas mawr ar gyfansoddiad fel hwn, yr wyf yn barod i gyfaddef y gall rhai gael eu swyno'n fawr gan uniongyrchedd a thryloywder ac yn arbennig gan addaster yr awdl ddisgybledig hon.' Ac fe â ymlaen i sôn am rai darnau sy'n ' wydraidd oer ' yn yr awdl dan sylw.

Elfen mor bwysig â'r un yn y newid a welir pan ddaw Syr Thomas i feirniadu yw'r changiad a fynnai yn nherfynau'r iaith lenyddol, y newid ansawdd y safai trosto yn yr iaith a ystyrir yn briodol i fardd ei harfer. Credai Syr John, er enghraifft, fod yna eiriau sy'n ' anfarddonol ' ynddynt eu hunain ; y gair ' cyffredinol ' er enghraifft. Ond cofiaf glywed Syr Thomas yn cyfeirio at y defnydd a wnaeth Islwyn o'r gair, mewn englyn, lle y mae'n sôn am y fynwent, a phawb yno o'r diwedd yn gwbl unfath yn ' yr un gyffredinol res.' Y wefr a geir yn y gair yn y defnydd a wna'r bardd ohono, yr effaith iasol, sy'n rhoi iddo ei gyfiawnhad.

Ac felly y mae'r drws yn agored led y pen i groesawu geiriau ac ymadroddion o bob cyfeiriad—o'r iaith werinol, ie, a hyd yn oed geirfa ' cari-dyms yr ystrydoedd cefn.' Ac anodd meddwl am neb â chlust mor fain i bob awgrym sydd gan air i'w gynnig, ac a fedr ' chwarae ' â'r iaith mor ysgafn a medrus â hen law o enweiriwr yn chwipio'r dŵr. Gŵyr fod weithiau angen ' aruchelu,' ond gwêl hefyd mai'r angen bryd arall yw ' ariselu,' a hyd yn oed i ' wrthfarddonoli.' Yr hyn sy'n bwysig yw bod y bardd yn ' geirmona'n adleisiol,' ac yn cyffwrdd rhyw wefr yn y dychymyg trwy hyfdra a sicrwydd ei ddewisiad o air ac ymadrodd. Ac yn ddiau, pengeirmon ein hoes ni yw'r Athro ei hun.

Soniodd Mr. Saunders Lewis un tro am 'fanyldra T. H. Parry-Williams,' a thrwy ei ddawn i ddewis a chynhyrchu a chyfaddasu geiriau, nid yn unig fe changodd ein geirfa lenyddol, ond fe wëodd y rhwyd yn fanach. Enghraifft o blith llawer y gellid eu codi o ddawn i lunio iaith i wahaniaethu rhwng ystyron hyd at drwch y blewyn yw honno yn *Ymhél â Phrydyddu,* lle y cawn ef wrth ddisgrifio effaith ymroi i lenydda ar laslanc yn sôn amdano'n tueddu i fynd yn ' unig, yn unigolynnol, ac ar wahân.' Yna, yn Abertawe (1964) soniodd am feirdd yn canu ' yn *fodern,* neu o leiaf yn *newyddol,*' ac yn Aberteifi (1942) yn y soned yr oedd ' hyd yn oed yr ansoddeiriau yn *annewydd.*' Chwery'n ysgafn felly â geiriau, ond chwarae i bwrpas, fel pan soniodd am gystadleuydd yr oedd ei waith yn dangos ' dyfeisgarwch deheuig yn fwy na

dychymyg digymell.' Daeth rhai o'i eiriau erbyn hyn i gylch-
rediad, megis ' agosatrwydd.' Y mae amryw ohonynt yn crynhoi
ynddynt eu hunain gyfoeth o sylwadaeth ac o feirniadaeth
lenyddol, megis ' crefftwra o ddifri,' ' dadystyru geiriau,'
' hynafoli,' ' dwdlo llenyddol,' ' bwriadus,' ' arucheledd ac
ariseledd,' ' cyfansoddiad cynaliedig,' ' cenadwrïo ' (sef
' pregethu ' mewn cerdd), ' ymenyddio,' ' atgofioni.'

Nodweddiadol ohono oedd dewis *Welsh Poetic Diction* yn
destun i'w ddarlith Syr John Rhŷs. Gwrandawn ar graidd ei
neges fel y'i ceir yn niweddglo'r ddarlith hon :

> For there is associated with poetic diction at its finest a
> power which one may call the power of utterance or articu-
> lation, the bearer of the marvel and the mystery of it, something
> rare and elemental, and which for its full effect requires the
> aid of the human voice . . . It may be, of course, that this
> magical element in diction, in the utterance of the poet, is the
> real thing after all. It may, perhaps, be more appropriately
> compared with the glint of precious metal . . .
>> ' All is gold that glitters,
>> For the glitter is the gold.'

Fe'n hatgoffa hefyd nad cyfosod geiriau yn unig sy'n cyfrif, ond
eu *cymdeithasiad*. Geiriau pob dydd, os mynnir, ond nid iaith
bob dydd. Sonia am y straen sydd ar iaith barddoniaeth, ac fe
wêl mai'r gamp, y rhagor rhwng barddoniaeth a rhethreg, yw
' galw sylw heb dynnu sylw.'

Mynn fod rhaid i iaith y bardd, er bod rhyddid iddo dynnu yn
ôl y galw o bob cyfeiriad, fod yn ' fwriadus ' (ef piau'r gair).
Dod â thafodiaith i fewn i'r gân—popeth yn iawn, ond nid
' canu tafodiaith.' Iaith lafar, siŵr iawn, yn ei lle, ond nid ' iaith
siarad noddlyd.' Craffwn ar y beirniad hwn a agorodd y fflodiat
yn ei gerddi a'i ' rigymau ' ar eiriau llafar a benthyg—a hyd yn
oed eiriau ' gwneud ' ar adegau,—yn cwyno yn Aberpennar
(1940) am fod gan gystadleuydd ' efallai gormod o eiriau
benthyg, gwneud, diweddar.' Dro arall soniodd am eiriau
sydd yn y cyswllt y rhoddwyd hwy ynddo ' allan o diwn gan
honni fod y fath beth â ' chlust sy'n medru canfod.'

Y mae hyn yn ein harwain yn naturiol at hanfodion y proses
creadigol artistig. Pam y mae cyfosod rhai geiriau mewn cerdd

weithiau'n awenyddol, a phryd arall yn fethiant? Gyda'r
manyldra sydd mor nodweddiadol ohono fe geir yr Athro yn
ddygn yn ei ymdrechion i olrhain yr awen i'w dirgel leoedd.
'Darfod y myfyrdod mawr,' meddai Hywel Rheinallt yn ei
farwnad i Ddafydd Nanmor, ac y mae'r Athro yntau yn rhoi
lle amlwg i fyfyrdod yn neffroad yr awen. Yn ei ysgrif ar
'Lenydda' yn *Synfyfyrion* fe geisir dadansoddi'r myfyrio hwn.
Sonia am y myfyrio ar bren neu aderyn sy'n creu *cymdeithasiad*
rhwng y bardd a'r gwrthrych, am y myfyrio sy'n peri ymdeimlad
o undod â'r cosmos, neu beri i ddyn ymglywed â'i undod â'r
ddynoliaeth, neu godi ynddo ymdeimlad llethol o ddiddymdra.
Hawdd fyddai codi enghreifftiau godidog o bob un o'r rhain o'i
farddoniaeth ef ei hun. Eto, i raddau, credaf fod elfen o 'resymoli'
yn y dadansoddi hyn, ac nad yw'n ddadleniad llwyr o graidd y
myfyrdod. Tybed na ddaeth yr Athro yn nes at wreiddyn y
mater yn Hen Golwyn (1941) yn ei feirniadaeth ar yr awdl yn y
geiriau :

> Fe ddywedai rhyw hen fardd y gallai syllu ar gainc mewn
> darn o bren nes cael ei ddychrynu gan y peth. Dyna'r math o
> ddychymyg creadigol a ddisgwylid mewn cerdd ddisgrifiadol.
> Ond nid hawdd ei gael, am fod gofyn am ymollwng awenyddol
> enbyd i allu dewinio felly.

Tu ôl i'r ymglywed â chymdeithasiad, hynny yw â *chydfod*, ac
â'r *darfod*, y mae'r ymglywed iasol yma â *dirfod*—neu bethdod
pethau—y wyrth o'u bod yno o gwbl, ac ymwybod y bardd o'u
bodolaeth. Bodolaeth darn o risial, er enghraifft yn troi'n wefr.
Dro arall fe ddisgrifia'r Athro y profiad fel 'sefyll a syllu nes
dechrau mynd i "ofni" 'r hyn y syllir arno.' A chyda'i ddiddordeb
byw yn y madruddyn a'r nerfau, fe sonia am farddoniaeth yn
adgynhyrchu'r cyffro cyntefig yna, 'nid o'r glust i'r deall ond i
ryw ymwybyddiaeth arbennig.'

Weithiau fe sonia am y canfyddiad sydyn, y 'cael' yn rhag-
flaenu'r myfyrio, a phryd arall y myfyrio fel pe bai'n esgor arno.
Yn wir ym Mhen-y-bont (1948) myn nad oes dim o le ar ddewis
testun gosodedig, ond i'r bardd 'allu rhoddi ei fyfyr awenyddol
ar waith.' Ac wedi (neu gyda'r) myfyrio daw'r crefftwaith.
Gwall dybryd fuasai tybio fod yr Athro gyda'i bwysleisio'r
'cael' a'r elfen anresymegol yn y proses creadigol yn bychanu

crefft a thechneg, er ar adegau rhaid cyfaddef ei fod ef yn dod yn bur agos at ein camarwain yn hyn o beth. Er enghraifft, yn Y Rhyl (1953) wrth feirniadu'r bryddest fe ddywaid, ' Y mae'n hoffach gennyf i leferydd *Hud ar Ddyfed* . . . ac eiddo *Hebog* hefyd, am fod mwy o arwyddion disgyblaeth (*ac ystyried hynny'n rhinwedd*) ynddynt.'

Sonia lawer am yr ' ystrywiau ' a'r ' offer ystrywiau,' ' Adwaen ei driciau bob yr un,' meddai mewn cyswllt cwbl wahanol, ond mawr yw'r hwyl a gaiff droeon ar ddangos mor fanwl y sylwodd ar holl ' driciau ' amrywiol ysgolion o feirdd o'r oes glasurol i'r gorddelweddog, o'r llyfn i'r ' jerclyd,' o'r difenter i'r sur-realaidd. Ym Mae Colwyn (1947), fe'i cawn yn sôn am y ' dull rhwyddfelys ' o ganu'n ' fwyn ac anghyffrous,' ond yn yr un feirniadaeth fe ddywaid :

Mi wn yn burion am y syniad y dylai pob bardd greu rhithmau newydd iddo'i hun, cyflwyno delwedd bob amser, cynhyrchu barddoniaeth ' galed ' a phendant, estyn cortynnau gramadeg iaith a datblygu nodiant neilltuol i'n galluogi i feddwl yn rhwyddach, ac yn arbennig gynghreiddio'i drosiad-au a chywasgu ei fetafforau, a champau tebyg.

Y mae'r colyn yn dechrau dod i'r golwg yn y gair ' campau,' ac yna fe ddaw'r frawddeg ddeifiol : ' Y mae *Caros* wedi gwneud rhai o'r pethau hyn yn orlwyddiannus.'

Dro arall fe rybuddia rhag ' goryrru'r eirfa led-lafar, dwt-a-swta wrth geisio darlunio'n bwyntelog â durfin ' : arddull y gwnaeth ei pharodïo'n ddieflig o glyfar yn y darn nad oes yma ofod i fwy na rhoi ei gychwyniad :

Y mae fy enaid fel blwch-matsiys,
Yn llawn o fflamau na chyneuwyd . . .

Mewn oes pryd y cawn gymaint o gyfansoddi tebyg i hyn, er yn ôl T. H. Parry-Williams—a llawer eraill ohonom—' ni allaf weld dim addaster awenyddol yn y stwff,' fe wêl y posibilrwydd o ymgyflyru i ' dderbyn ' peth fel yna, a rhoi gwerth arno fel cynnyrch haen ddofn o'r is-reswm. Ond fe'n heria trwy ei gyferbynnu'n sydyn â'r pennill :

Mae fy meiau fel mynyddoedd,
    Amlach hefyd yw eu rhi'
Nag yw gwlith y bore wawrddydd,
    Nag yw sêr y nefoedd fry.

Enghraifft wych o feirniadu trwy gyfosod.

Ond fe ddown yn ôl ymhen ychydig i drafod ymhellach syniadau'r Athro ar berthynas y deall a'r anneall yn y proses creadigol. Yma dymunaf bwysleisio gymaint y mae'n cymryd o ddifri y wedd gelfyddydol, a'r modd y treiddia'n ddwfn i'w chyfrinachau. Yn 'Llenydda' fe sonia am 'hoffi'r taclau,' ac yn *Elfennau Barddoniaeth*, llyfr sydd mor fanwl ei sylwadaeth ar dechneg barddoni, y mae'n ein hatgoffa nad 'medrusrwydd moel' yw celfyddyd. Yn y llyfr hwnnw, fel yn y lliaws beirniad-aethau Eisteddfodol, ac yn *Ymhél â Phrydyddu,* er enghraifft, fe geir, ynghyd â bwrw llif o oleuni ar wneuthuriad ac effaith llinellau unigol a darnau cyfain, farn werthfawr hefyd ar lu o faterion perthynol i'r gelfyddyd. Yn eu plith fe gawn pa faint o gysondeb sy'n ofynnol i gadw hunaniaeth mesur, pam y mae odlau dwbl yn drwm yn y Gymraeg ond a ddylid eu harfer ar ddiwedd llinell o soned sy'n gorffen â gair o fwy nag un sillaf gyda'r acen ar y goben, pe le sydd i 'ystrywiau' rhethregol mewn barddoniaeth, sut y gall cerdd hir 'ymgynnal,' ac a oes angen *goslef* arbennig wrth adrodd barddoniaeth.

Yn wir ni wn ond am un stôr arall mewn Cymraeg cyfoes, wedi teyrnasiad Syr John, o gyfarwyddiadau manwl a bywiog ar y grefft o farddoni i gystadlu â'r uchod, sef beirniadaethau eisteddfodol, cenedlaethol a lleol, R. Williams Parry. Stôr yw honno hefyd y gellid crynhoi ohoni ddefnydd testun-lyfr o'r gwerth pennaf i egin-fardd ac i feirdd wedi hen egino o ran hynny. Ac y mae'n hwyr glas i rywun fynd ati i'w crynhoi—amryw ohonynt oddi ar ddalennau y newyddiaduron. Yr un yw'r craffter wrth ddisgyn ar linell neu ddarn; tebyg ar ryw olwg yw'r sylwadau treiddgar a phryfoclyd—ond cwbl wahanol y ddau lais. Nid oes modd camsynied y naill am y llall, a ffodused yr oes a gafodd gyfle i glywed y ddau yr un pryd. Cyn dychwelyd at y beirniad y disgwylir imi fod yn ysgrifennu amdano, gwrandawn am foment ar lais y llall, yn Aberpennar (1940) :

Beirdd yr awen gartrefol a'r eirfa gymdogol ; beirdd na fedrent Roeg na Lladin, o bosibl—na Chymraeg Canol chwaith, o drugaredd. Aelodau eglwysig na chlywsant erioed am na seintwar na sagrafen, dim ond am gysegr ac ordinhad ; athrawon yr Ysgol Sul na ofynnant byth ' ba ? ' na ' ponid ? ' Cyraeddasant yn eu dillad noson waith a'u hiawn bwyll . . . ' Y bau a ŵyr arwyrain.' Ai fel hyn y dywedir fod yng Nghymru gorau a bandiau a beirdd o hyd ? Ie—mewn awdlau. Dyna pam nad ŷnt yn llenyddiaeth.

I ddychwelyd at waith yr Athro T. H. Parry-Williams fel beirniad llenyddol, hoffwn sylwi nesaf ar ei farn ef ei hun am feirniadaeth lenyddol ac am feirniaid. Fe gawn ganddo rai sylwadau tra dibrisiol, nad ydynt fawr o galondid i feirniad, yn enwedig onid yw'n fardd hefyd. Yn yr atodiad ar feirniadaeth lenyddol yn *Elfennau Barddoniaeth* fe fynnir mai israddol yw swydd y beirniad. ' Dirgelwch anrhesymol ac anesboniadwy ydyw barddoniaeth,' a chan na ellir ' ystyried yr ysbrydoliaeth a'r arddull na'r mynegiant cyffredinol yn bethau y gellir eu gwahanu,' y mae'n dilyn mai ' allanolion arwynebol y grefft yn unig sy'n agored i'w beirniadu.' Os felly, dyna ben arni, ond tybed ? Fe gyfeddyf yr Athro ' fod dysgu ar fwynhau,' a bod ' gan y canrifoedd rywbeth i'w ddweud wrth y blynyddoedd,' ac er ei fod yn rhoi pwys droeon ar yr anneall fel tarddle'r awen, fe'i cawn yn cymedroli'r farn hon yn niwedd ei erthygl ar y ' Dychymyg mewn Barddoniaeth ' yn *Efrydiau Athronyddol* 1952 :

Y mae i ddychymyg ei beryglon. Os nad yw'n dddychymyg deallol, fe all arwain i ' fynd dros ben tresi ' ac i rantio ac i rafio'n ddireol ; oherwydd siawns nad oes i'r deall hefyd—i ' ystyr '—ei le mewn barddoniaeth . . . Fe all dychmygu delweddol ac arwyddluniol fynd yn ormes nes colli golwg ar elfennau eraill sy'n perthyn i farddoniaeth fel celfyddyd a mynd yn ôl i'r stad husterig, farbarig, gyntefig fel a nodwedd-ai'r ' awenyddion ' gynt.

Yn yr un paragraff sonia am angen ' ffurf a phwyll a chlirder,' ond a chaniatáu hyn, onid oes yna le braf i'r beirniad gael ei big i fewn ?

Eithr yn *Ymhél â Phrydyddu* y ceir y cymedroli mwyaf pendant ar y gred mai o'r anneall pur y mae'r awen yn tarddu. Wedi cael hwyl ar barodïo'r dull sur-realistig, fe geir hyn :

> Ond yn lle ymostwng dan ei ormes, y mae modd, 'rwy'n credu, i rywun gael digon o ddeunydd annaearoldeb awenyddol wrth ymgyfyngu i'r ffin sydd, os caf fentro dweud, rhwng yr isymwybod neu'r uwchymwybod (fel y'i gelwir) a'r ymwybod arferol (os oes norm felly). Sut bynnag, yn y gororau hyn fe osgoir y pethau gorgyfriniol a'r pethau gorddieflig, a thrwy hynny lwyddo i ddal ymateb cydymdeimladol y rhan fwyaf ohonom ni feidrolion sy'n ymddiddori yn y gelfyddyd.

Hynny yw, swydd y deall yw nid yn unig gweithio ar a ddaw o'r anneall, ond y mae gwir darddle'r awen ei hun ar y *ffin* rhyngddynt. Ond os felly, siawns na all beirniadaeth dreiddio'n is na'r ' allanolion arwynebol.' Ac os yw'r deall am y ffin â tharddle'r awen fe all fod gwerth mawr, er enghraifft, i'r math o feirniadaeth a ddisgrifiodd Mr. Saunders Lewis ym Mae Colwyn (1947), ac mewn llawer man arall ; math o feirniadaeth y mae ef y dehonglydd mwyaf ohono yng Nghymru :

> Egluro beth yw'r traddodiad, hynny yw, beth yw gorchwyl barddoniaeth gymdeithasol a sut y tyfodd y cynnwys. Yna dangos fel y traddodwyd gorchwyl y pencerdd i'r bardd gwlad, ei wir etifedd, a dangos pa faint o grefft a dulliau awdl a chywydd a drosglwyddwyd i'r carolau a'r cerddi cymdeithasol a chrefyddol . . . Mor gwbl dywyll yw'r syniad yng Nghymru heddiw am ystyr y gair *traddodiad llenyddol*. Ei ddiffinio, ei egluro, ei ddangos ar ei gerdded, dyna'r nod.

Ystyriwn yn nesaf y farn a rydd yr Athro yn niwedd ei atodiad ar feirniadaeth lenyddol yn *Elfennau Barddoniaeth* (ac mewn mannau eraill o ran hynny), sef mai ' anodd peidio â choelio bod yn rhaid i feirniad barddoniaeth fod yn fardd hefyd.' Fe seilir hyn hefyd ar y gred mai ' dirgelwch anrhesymol ac anesboniadwy yw barddoniaeth,' ac oblegid hynny, ' bardd yn unig, neu fardd posibl ' (cymedroliad diddorol y gellid ystyried ei ' oblygiadau ' i gryn bwrpas) ' a all ymdeimlo â rhin ysbrydol creadigaeth awenyddol ac â'r egni bywydol cyfrin sy'n ei chynhyrchu.' Hawdd yw cytuno fod i'r crëwr artistig fanteision sylweddol sy'n

codi o'i brofiad o'r proses creadigol, ond tybed nad oes iddo ei
beryglon arbennig hefyd pan dry'n feirniad ? Gall ei ffordd ef ei
hun o ' gael ' ac o greu lenwi cymaint ar ei fryd nes troi'n safon i
farnu cynhyrchion artistiaid eraill. Cofiwn rybudd T. S. Eliot, a
dylai ef wybod :

> When the critics are themselves poets, it may be suspected
> that they have formed their critical statements with a view to
> justifying their poetic practice.

Y mae'n amlwg o leiaf fod y fath awen a roddwyd mor hael i'r
Athro T. H. Parry-Williams wedi rhoi ei brif gyfeiriad i'w
egnïon fel beirniad. Ys gwir ei fod yn un o'n prif feistri cyfoes ar
sgrifennu pros creadigol, ond i farddoniaeth y rhoes y rhan fwyaf
o ddigon o'i sylw fel beirniad, ac i farddoniaeth delynegol yn
anad dim. ' La poésie pure,' ac er na wêl ef hi gymaint yn nhermau
miwsig ag a wêl Verlaine, fe gytunai'r ddau fod gofyn rhoi tro
yng ngwddf rhethreg, a gallaf weld y Cymro'n ' porthi ' yn
selog y sylw dibrisiol, ' Et tout le reste est littérature.'

Yn *Elfennau Barddoniaeth* fe dry'n bennaf gyda ' barddoniaeth
delynegol yn y mesurau rhyddion,' am, medd ef, mai ' dyna'r
gorau i'm pwrpas.' ' Mewn barddoniaeth a elwir yn delynegol yr
ydym sicraf o gael gafael ar y gwir beth.' Sonia am hudoliaeth y
' pethau bychain, cryno, cynnil, cwta, byr eu gwynt,' ac am y
' bloesgni hudol ' sy'n ' ogoniant ' iddynt. Nid anodd deall apêl
y penillion telyn iddo, a chyda'i bwys ar yr elfen ' iasol,' gwelir
yn hawdd pam y mae ei fryd fel beirniad yn rhedeg gymaint i
gyfeiriadau arbennig.

Ni olyga hyn nad yw'r athro, ambell waith, yn barod i ystyried,
dyweder, sut y gall cerdd hir ' ymgynnal,' megis ym Mae Colwyn
(1947) :

> Y mae'n ddiamau y gallai rhai honni bod agwedd ry
> fetaffisegol neu feddylegol ar ganu fel hyn i fod yn farddonol
> bur. Eto, o'r amryw ffyrdd o wneud i gân weddol hir ym-
> gynnal yn gadarn, diau y caniateir bod cynnwys ynddi ' ym-
> enyddwaith sylfaenol ' yn un, ond i hwnnw fod yn rhyw
> fath o gyfuniad o feddwl clir ac o fyfyrio creadigol. Ac o
> gyflwyno hynny'n gain a'i ddehongli'n rhiniol, gellir cael
> creadigaeth awenyddol.

Ac er iddo roi'r gorau, hyd y gwyddom, i gynganeddu yn fore yn ei yrfa, gogleisiol iawn yw ei sylwadau ar y gynghanedd o bryd i'w gilydd. Ond yn perthyn i'r 'allanolion' y gwêl ef hi. Ym Mhen-y-bont (1948), er enghraifft :

Hawdd i ddarllenydd yw cael ei ddenu gan gynghanedd yn unig, ond nid yw hyn yn ddigon i gyffroi'r cyneddfau hynny sy'n ymateb i awenyddwaith pur. Rhaid cyfaddef, er hynny, nad yw cynganeddu'n wreiddiol ac effeithiol mor hawdd â bod yn newydd a gwreiddiol mewn mesur rhydd.

Ac yn Llanelli (1962) cawn fod bodloni ar gynghanedd gywir yn 'arwain yn aml i ganu lincyn-loncyn . . . gan draethu'n fflat a digyffro, *nes bod y gynghanedd yn methu gogoneddu'r mynegiant, fel y dylai, canys dyna'i hamcan.* Fel y gwyddys yn burion, fe all cynganeddu cyfrwys wisgo pethau naturiol a chyffredin â ffresni ac anghyffredinedd.' Da fyddai cael gan yr Athro i helaethu tipyn ar y sylw a geir ganddo yn *Ymhél â Phrydyddu* fod ' y gynghanedd yn hawlio gallu i gystrawennu seiniau.'

Craff a gogleisiol hefyd yw'r sylwadau ganddo ar y mesur penrhydd, neu *vers libre*, yn enwedig yn Abertawe (1964), ac yn Nyffryn Maelor (1961), lle y rhydd anogaeth i ' astudio'r mater yn wyddonol,' ac i'r beirdd sy'n dewis y rhyddid hwn ' greu eu patrwm eu hunain ar sigl cynhwynol a cherddediad yr iaith Gymraeg.'

Caiff hwyl ar ddisgrifio'r bardd fel ' dyn od,' ac ar wahân i'w gymdeithas, er mewn ystyr arall yn annatadwy glwm â hi. Diddorol yw'r rheswm a rydd yn Nyffryn Maelor (1961) yn erbyn gormod o orgywreinio ac amlhau ffigurau gan fardd, sef am fod ' cymundeb rhwng yr awdur ac yntau (y darllenydd) yn colli peth o'i agosrwydd, ac arwyddocâd y mynegi yn gwanychu.' Cofiaf godi'r cwestiwn mewn seiat lenyddol lle'r oedd nifer o'n llenorion ieuainc yn bresennol, a oeddynt wrth gyfansoddi yn ceisio dim mwy nag ateb y cwestiwn, ' P'odd y gallai ddweud sydd ynwy ? ' neu a oeddynt yn ystyried fel rhan fwriadus o'u celfyddyd, gynhyrchu effaith arbennig yn eu darllenwyr. Synnent at y cwestiwn, a chefais yr ateb mai amhuro'r weledigaeth fyddai iddynt hyd yn oed feddwl am eu darllenwyr ar awr y creu. Dal y weledigaeth a'i mynegi i'w boddhad eu hunain oedd eu dyletswydd, hyd yn oed i'w darllenwyr neu eu

cyhoedd. Nid felly yr oedd hi yng Nghymru pan oedd y
' cyhoedd ' yn ' gymdeithas,' hynny yw o ddydd Aneirin hyd at
oes Daniel Owen. Yr oedd astudio'r effaith ar gymdeithas yn
rhan o'r gamp, a diddorol sylwi fel y mae T. H. Parry-Williams
hyd yn oed yn yr oes unigolyddol hon yn meddwl yn nhermau
cyfathrebu yn ogystal â mynegi.

Nid bob amser y mae'n hawdd bod yn siwr lle y mae Parry-
Williams yn sefyll. Y mae iddo ryw swildod a gochelgarwch, a
chanddo ddulliau cyfrwys o osgoi cael ei gornelu. Gŵyr sut i
gadw ei ddarllenydd o hyd braich, megis trwy ddefnyddio
berfau amhersonol, fel ' a ystyrir yn fwyaf daearol,' neu ' fe
bwysleisir gan y rhai sy'n honni gwybod ' ; neu trwy wthio i
mewn i frawddeg ryw gymal bach yn cychwyn gydag ' os,'
megis : ' Dangos beth yw'r safonau—os safonau hefyd.' Y mae'r
dyfeisiadau hyn, ac y mae ganddo lawer ohonynt, yn help i'n
cadw'n effro a pheri inni sylweddoli nad oes rhaid cymryd yn
ganiataol bethau na wawriodd arnom erioed, hwyrach, eu
hamau, ond gallant hefyd fod yn llwybr dihangfa i'r Athro.

Ond yn y darn aruchelaf a dwysaf a sgrifennodd erioed nid oes
arlliw o'r gochelgarwch hwn. Cyfeirio yr wyf, a hynny gyda
pharch o'r mwyaf, at ei ysgrif, ' Colli Robert Williams Parry ' yn
Myfyrdodau. Yma y mae'r holl amddiffynfeydd i lawr, a'r Athro'n
siarad yn syth o'i galon ddrylliog. ' Hanfod elfennaidd ' o
roddiad prin yw awen o fath yr hon a gafodd R. Williams Parry.
' Doethineb dwyfol neu ddewinol sy'n disgyn yn ddiferion prin i
enaid ambell un yn awr ac yn y man, a Duw'n unig a ŵyr pwy
fydd yr ambell un ffodus—neu anffodus.' Ac yma y mae Parry-
Williams yn llwyr yn y traddodiad clasurol Cymraeg. Fe'n
hatgoffir weithiau, ac nid heb achos, mai crefftwr mewn byd o
grefftwyr oedd y bardd yng Nghymru'r oesoedd canol, yn
saernïo cerdd fel yr oedd crefftwyr eraill yn gweithio mewn
coed neu haearn, ac mai dyneiddiaeth, neu hwyrach ramantiaeth,
a barodd trwy ddwyfoli dyn beri i'r bardd gymryd arno swydd
proffwyd. Wel, fe all yr adwaith yma fynd yn rhy bell. Cofiwn
fod y penceirddiaid hwythau yn eu gweld eu hunain yn meddu
' dawn Duw ' mewn ystyr arbennig iawn, ac yn eu hystyried eu
hunain yn llinach ysbrydol Dafydd Broffwyd. ' Crist Celi, poed
mi o'm meithfeint synnwyr,' meddai un o feirdd Llywelyn
Fawr, a chyn hynny, canodd Cynddelw, ' Aswynaf nawdd Duw,

diamau Dy ddawn, *a'th ddoniawg wyf finnau.*' Pwysleisia Parry-Williams fod dirgelwch mawr yn yr awen a gafodd R. Williams Parry, iddo gael ' parablu iaith y prinder,' a bod yn lladmerydd i'w gyd-ddynion. Ond er yr holl ddonio mawr, yr oedd yno ddisgyblaeth gyfatebol :

Fe ddywedodd rhywun mai'r Hollalluog sy'n rhoi'r tamaid cyntaf o gân i ddyn, a bod yn rhaid i'r dyn ei hun ofalu am y gweddill. Ac os bu gofalu erioed, fe ofalodd hwn, fel y mae'n ddigon hysbys, gan ymboeni'n boenus bron â'i gelfyddyd—hyd at nerfusrwydd, yn wir.

Fe welodd rhai ohonoch hwn, efallai, yn troedio'n wisgi a phwrpasol, a sbectol ar ei drwyn, wedi ymwisgo'n drwsiadus fel pin mewn papur, a phob blewyn yn ei le, ac fe'i clywsoch, o bosibl, yn cyfnewid cyfarch bach digon cyffredin â rhyw fforddolyn arall. Pwy a fuasai'n meddwl ei fod, ar ambell eiliad goruwchnaturiol, yn un o weledyddion prin y canrifoedd ?

Felly, na'n twyller ni gan hwyl fyrlymus yr Athro ar adegau, na chan ei ochelgarwch, ei goegni, yr ' ystrywiau ' a'r ' triciau.' Yn iaith y seicolegydd ' peirianwaith amddiffynnol ' yw llawer o hynny. Y mae yna adnod yn Llyfr yr Hebreaid sy'n sôn am ' symudiad y pethau a ysgydwir . . . fel yr arhoso y pethau nid ysgydwir.' Yr ysgydwad o golli R. Williams Parry a barodd i T. H. Parry-Williams ddatgelu mor ddiamwys y pethau mwyaf arhosol a gwaelodol yn ei argyhoeddiadau am yr awen.

YR YSGOLHAIG

gan THOMAS JONES

CYN inni fwrw golwg ar gynnyrch ysgolheigaidd Syr Thomas Parry-Williams fe dâl inni nodi rhai pethau sydd yn berthnasol i'w yrfa fel ysgolhaig. Yn un peth daeth yn gynnar iawn i gysylltiad ag ysgolheigion tramor—ieithegwyr gan mwyaf—a oedd yn ymddiddori yn yr iaith Gymraeg. Bu rhai ohonynt yn treulio peth amser yn Rhyd-ddu a byddai ei dad, a oedd yn ysgolfeistr yno, yn rhoi help iddynt yn eu hymdrechion i ddysgu Cymraeg. Clywais Syr Thomas yn dweud un tro mai un o'r ysgolheigion tramor hyn a roes iddo ei wers gyntaf mewn Ffrangeg. Gellir yn hawdd gredu fod cael ymgydnabod â'r dysgedigion hyn wedi cael dylanwad nid bychan ar fachgen ifanc yn yr ysgol ac wedi bod yn gyfrifol, i ryw raddau yn sicr, am ei ysgogi i roi ei fryd ar yrfa ym myd dysg ac ysgolheictod.

Peth arall y mae'n iawn ei bwysleisio yw'r hyfforddiant trwyadl a maith a gafodd yn ystod ei flynyddoedd fel myfyriwr, a disgleirdeb ei gampau academig. Daeth o Ysgol Ramadeg Porthmadog i Goleg Prifysgol Cymru, Aberystwyth ac yno yn 1908 y graddiodd yn B.A. gydag Anrhydedd, Dosbarth Cyntaf, mewn Cymraeg. Yr Athro Cymraeg ar y pryd oedd Syr Edward Anwyl, gŵr tra dysgedig ac eang iawn ei wybodaeth mewn llawer pwnc. Wedyn treuliodd flwyddyn arall, 1908—1909, yn y Coleg yn Aberystwyth yn dilyn y cwrs Anrhydedd mewn Lladin o dan yr Athro Edward Bensly, gŵr a ymneilltuodd o'r Gadair Ladin yn 1919 ond a fyddai, mor ddiweddar â 1930, yn traddodi cyfres o ddarlithiau ar feirniadaeth destunol i'r Dosbarth Anrhydedd Lladin yn Aberystwyth ac a oedd yn llunio catalog o'r llawysgrifau Lladin yn y Llyfrgell Genedlaethol. O Aberystwyth aeth Syr Thomas yn fyfyriwr i Rydychen, lle yr oedd Syr John Rhŷs yn Athro Celteg ac yn Brifathro Coleg yr Iesu. Ar 21 Mehefin, 1940 dadorchuddiwyd carreg goffa i Syr John Rhŷs ym mur bwthyn Aberceiro-fach, ger Ponterwyd, lle y ganesid ef gan mlynedd yn union cyn hynny. Dadorchuddiwyd y garreg gan Syr Thomas ac yn yr anerchiad a draddododd cyn y dadorchuddio gwelwyd maint ei edmygedd o gymeriad a

chyfraniadau ysgolheigaidd Syr John Rhŷs. Bedair blynedd ar
ddeg yn ddiweddarach ysgrifennodd lyfryn ar Syr John Rhŷs a
gyhoeddwyd gan Wasg Prifysgol Cymru ar gyfer Gŵyl Ddewi,
1954. Yn ddiweddar cofnododd Syr Thomas yn un o'i ysgrifau[1]
iddo ' gael y fraint a'r profiad anghyffredin . . . o fod yn ddisgybl
. . . am ddwy flynedd ' i'r ' seinegwr enwog a'r arloeswr cadarn,'
Dr. Henry Sweet, Rhydychen. Erbyn hyn yr oedd y myfyriwr
wedi dechrau ar waith ymchwil, a hynny ar bwnc yr oedd Syr
Edward Anwyl wedi ei awgrymu iddo, sef astudiaeth o'r geiriau
Saesneg a oedd wedi eu benthyca i'r Gymraeg. Cyn gallu
astudio'r benthyciadau hyn yn drwyadl yr oedd yn rhaid wrth
wybodaeth drylwyr o seineg, ac y mae'n ddiau mai fel rhan o
gynllun ymchwil yr oedd Syr Thomas yn mynychu darlithiau
Dr. Henry Sweet ar seineg. Sut bynnag rhwng Medi 1909 a
Mehefin 1911 enillodd raddau M.A. (Cymru) a B.Litt. (Rhyd-
ychen) am ei waith ymchwil, gwaith a fu'n sylfaen i'w gyhoedd-
iadau diweddarach ar yr elfen Saesneg yn yr iaith Gymraeg.

Ar ddiwedd y ddwy flynedd yn Rhydychen dyfarnwyd iddo
Gymrodoriaeth Prifysgol Cymru a daliodd hi am dair blynedd,
1911—1914. Treuliodd y rhan fwyaf o gyfnod ei Gymrodoriaeth
ar y cyfandir, ym Mhrifysgol Freiburg ac ym Mhrifysgol Paris.
Ar ddiwedd ei gyfnod yn Freiburg enillodd radd Ph.D. Yr
oedd yn rhaid argraffu astudiaeth a gyflwynid am y radd hon, a
' chyhoeddiad ' ysgolheigaidd cyntaf Syr Thomas oedd ei
draethawd ar ei chyfer, sef *Some Points of Similarity in the Phonology
of Welsh and Breton* (Paris, Champion, 1913).[2] Mewn mwy nag
un ffordd yr oedd cysylltiad rhwng yr astudiaeth hon a'r astud-
iaeth gynharach o'r geiriau a fenthyciwyd o'r Saesneg i'r Gymraeg.
Datblygiadau seinyddol oedd cnewyllyn y ddwy astudiaeth, ac
yr oedd y ddwy yn gofyn am wybodaeth fanwl o seineg. Wrth
ymdrin â datblygiadau tebyg yn seinyddiaeth y Gymraeg a'r
Llydaweg yr oedd yn naturiol craffu ar y modd yr oedd y naill
iaith a'r llall yn trin geiriau a oedd yn deillio o'r Ffrangeg, sef
geiriau a oedd wedi eu benthyca o'r iaith honno yn uniongyrchol
i'r Llydaweg ac yn anuniongyrchol drwy'r Saesneg i'r Gymraeg.

---

[1] ' El ac Er ' yn *Pensynnu* (Gwasg Gomer, 1966), t. 33.
[2] Cyhoeddwyd tt. 1—86 o'r traethawd hwn yn *Revue Celtique*, 35 (1914),
t. 40—84, 317—356, ond arhosodd tt. 87—117 heb eu cyhoeddi felly.

Sut bynnag, y mae'r astudiaeth yn llawer lletach na'r datblygiadau seinyddol a welir yn y geiriau benthyg hyn mewn Cymraeg a Llydaweg. Ceir ymdriniaeth fanwl a threfnus dros ben â'r pwyntiau tebyg y sylwyd arnynt yn natblygiad seinyddol y ddwy iaith yn y cyfnod ar ôl ymwahaniad y Llydawiaid oddi wrth eu cyff-genedl. Dechreuir gydag adran ar y llafariaid, gan nodi gwahanol gyfnewidiadau, yna symudir yn yr ail adran at y deuseiniaid ac yn y drydedd at y cytseiniaid. Ym mhob adran, yn arbennig y drydedd, ceir is-adrannau lawer sy'n adlewyrchu manylder y trefnu a fu ar y defnydd crai a gasglwyd wrth ddarllen yn eang iawn mewn Cymraeg a Llydaweg. Pan ddaeth cyfnod ei Gymrodoriaeth i ben yn 1914 yr oedd Syr Thomas wedi cael treulio chwe blynedd fel myfyriwr ar ôl cymryd ei radd gyntaf, a phump ohonynt yn fyfyriwr ymchwil mewn tair prifysgol, sef prifysgolion Rhydychen, Freiburg a Pharis. Yn ystod y pum mlynedd a ddilynodd hynny, sef 1914—1919, yr oedd yn aelod o staff yr Adran Gymraeg yn ei hen Goleg yn Aberystwyth. Wedyn rhoes y gorau i'w swydd a mynd yn fyfyriwr drachefn yng Nghyfadran Gwyddoniaeth Coleg Prifysgol Cymru gan ddilyn cwrs a fyddai yn ei alluogi i ym-gymryd â chwrs meddygol. Y flwyddyn hon, 1919-20, yw'r un y soniodd amdani mewn un man fel *annus mirabilis*. Sut bynnag fe'i penodwyd yn Athro Cymraeg yn 1920 ac yn y swydd honno y bu hyd nes iddo ymddeol yn 1952. Ar hyd y blynyddoedd ni phallodd ei weithgarwch ysgolheigaidd, ac isod fe geisiwn ddosbarthu a disgrifio ei brif gyfraniadau i ysgolheictod Cymreig.

Dywedais eisoes mai ei bwnc ymchwil cyntaf oedd y geiriau a oedd wedi eu benthyg o'r Saesneg i'r Gymraeg. Ym mis Mai 1922 traddododd ddarlith ar y pwnc gerbron Anrhydeddus Gymdeithas y Cymmrodorion ac yn yr un flwyddyn cyhoeddodd erthygl o dan y teitl ' An English Flexional Ending in Welsh ' yn *Aberystwyth Studies*, IV (1922), 75—83. Y terfyniad lluosog -*es* yn Saesneg yw'r un y traethir arno, gan ddangos fel y'i benthyciwyd i'r Gymraeg fel -*es* (e.e. *ysglates*), -*ys* neu -*us* (e.e. *cwtys, betys, artsus, ysglatus*), -*as* (e.e. *botas, clotas, taplas*), -*ws* (e.e. *cwplws, plwmws*), -*os* (e.e. *cocos, tropos*), -*is* (e.e. *tiglis(t)*) ac -*s* (e.e. *graens, herawds, teils*). Dangosir hefyd sut y buwyd weithiau yn ychwan-egu terfyniad lluosog Cymraeg at ffurf luosog Saesneg wedi ei

benthyca, gan greu ffurfiau lluosog dwbl, e.e. *botasau, cwtysau,*
ac weithiau yn llunio ffurfiau unigol Cymraeg drwy ychwanegu
terfyniad unigol, *-yn* neu *-en,* at y ffurf luosog Saesneg, e.e.
cwilsyn, ffigysen, poplysen, bricsen.

Yn dilyn y ddarlith gerbron y Cymmrodorion a'r erthygl yn
Aberystwyth Studies fe ddaeth, flwyddyn yn ddiweddarach, yn
1923, y gyfrol *The English Element in Welsh : A Study of English
Loan-words in Welsh* (London, 1923), sef y ddegfed gyfrol yn y
' Cymmrodorion Record Series.' Yn ei Ragair i'r gyfrol y
mae'r awdur yn sôn yn ddigon gwylaidd am y gwaith hwn fel
ymdriniaeth ddechreuol yn unig ac yn mynegi'r gobaith y
byddai rhyw ysgolhaig arall yn parhau'r astudiaeth gyda mwy o
ofal ac yn fwy cyflawn. Dyma'r astudiaeth lawnaf sydd gennym
hyd heddiw o'r geiriau a fenthyciwyd o'r Saesneg i'r Gymraeg.
O fwriad cyfyngwyd yr astudiaeth i'r geiriau a fenthyciwyd ac i'r
cyfnewidiadau seinyddol a ddigwyddodd wrth eu benthyca, gan
roi'r lle amlycaf i'r benthyciadau hynaf. Bydd cyfeirio at
benodau'r gyfrol a nodi cynnwys pob un ohonynt yn fras yn
ddigon i roi syniad am gwmpas a thrylwyredd y gwaith. Pennod
ragarweiniol yw'r un gyntaf, lle y traethir ar nifer o bynciau
cyffredinol megis agwedd y Cymry tuag at eiriau benthyg yn eu
hiaith, cyfnodau'r benthyca o'r Saesneg i'r Gymraeg, a'r ffactorau
a barodd gyfnewidiadau yn y geiriau a fenthyciwyd. Ym
Mhennod II ymdrinir â'r cyfnewidiadau seinyddol yn y geiriau a
fenthyciwyd i'r Gymraeg o Hen Saesneg, sef cyn tua chanol y
ddeuddegfed ganrif, gydag adran arbennig ar nifer o eiriau sy'n
cynnwys yr hen derfyniad cyflyrol *-an,* e.e. *berman, cwpan, hosan,
sidan, tarian.* Ar ôl cyfnod Hen Saesneg y benthyciwyd y mwyafrif
mawr o'r geiriau a ddeilliodd o'r Saesneg, ac anodd iawn yw
penderfynu yn fanwl gyfnod y benthyca. Oherwydd hyn
ymdrinir â'r benthyciadau o Saesneg Canol (c. 1150—c. 1400)
ac o Saesneg Diweddar, neu Newydd (c. 1400 ymlaen), gyda'i
gilydd mewn tair pennod hynod o fanwl a threfnus. Yn y tair
pennod hyn, III—V, dangosir drwy gyfoeth o enghreifftiau,
sut y newidiodd y llafariaid, y deuseiniaid neu'r diptonau, a'r
cytseiniaid Saesneg yn y geiriau a fenthyciwyd. Ar y diwedd ceir
dau atodiad byr (tt. 253-54) a mynegai gwerthfawr iawn (tt.
255-78) i'r holl eiriau Cymraeg, gan mwyaf yn fenthyciadau o'r
Saesneg, yr ymdriniwyd â hwy yng nghorff y gwaith. Y mae'r

gyfrol gyfan yn astudiaeth ardderchog a bu defnyddio cyson arni er pan gyhoeddwyd hi gyntaf.

Rhaid cyfeirio hefyd at ddau gyfraniad sydd gan Syr Thomas yn y gyfrol *Britannica* (Leipzig, 1929), a gyflwynwyd i'r Athro Max Förster ar ei drigeinfed pen-blwydd. Yn y naill gyfraniad, tt. 155—163, ' Fragments of English or Concerning English from Welsh Manuscripts,' dyry restr o enwau offer a chelfi tŷ a gofnodwyd yn llsgr. Peniarth 56, t. 54, gydag astudiaeth o orgraff a seinyddiaeth y geiriau, sydd bron i gyd yn Saesneg eu tarddiad, a hefyd nifer o ymadroddion ' i gyfarch gwell i arall ' yn Saesneg ac yn Gymraeg, a'r rheini wedi'u codi o lsgr. Peniarth 60, t. 121. Yn y llall, tt. 164-5, ' Notes on Two Welsh Words,' cynigir tarddu'r gair Cymraeg Canol *role* neu *roly* am offeryn glanhau arfau a'r gair tafodieithol *geldrych*, a arferid mewn rhai ardaloedd yn Sir Gaernarfon, o'r Saesneg.

Ymhen blynyddoedd lawer ar ôl cyhoeddi'r astudiaethau uchod cawn Syr Thomas yn dychwelyd at agweddau ar yr un pwnc cyffredinol. Ym mis Mai 1958 yn *Bulletin of the Board of Celtic Studies* XVII, tt. 271-73 ceir ganddo ' ddau nodyn ar eiriau benthyg.' Yn y nodyn cyntaf y mae'n dangos drwy enghreifftiau yr hyn a ddigwydd i'r acen bwys ar y rhagoben mewn geiriau Saesneg a fenthyciwyd i'r Gymraeg. Astudiaeth fer yw'r ail nodyn o un agwedd ar iaith ' cofis ' tref Caernarfon ac ynddi olrheinir rhyw ugain o'r geiriau arbennig, megis *bodan, hog, lŷs, mag, miglo, niwc, patro, sei, stagio,* sydd mor nodweddiadol o'r dafodiaith hon, i'w tarddiad mewn slang Saesneg.

Yn 1957 traddododd Syr Thomas ei Ddarlith O'Donnell ym Mhrifysgol Rhydychen ar y testun ' English—Welsh Loanwords,' darlith a gynhwyswyd, tt. 42—49, yn y gyfrol *Angles and Britons* (Caerdydd, 1963), yn un o'r chwe darlith O'Donnell y penderfynwyd eu cyhoeddi. Cyfeiria'r darlithydd at yr ychydig eiriau a fenthyciwyd o'r Gymraeg i'r Saesneg, gan awgrymu y gallai rhai ohonynt fod yn destunau i ysgrifau ysgeifn, a chyffwrdd â dylanwad y Gymraeg ar y Saesneg a leferir yn y rhannau hynny o Gymru lle y diflannodd y Gymraeg. Sonia hefyd am yr arfer o ddefnyddio geiriau Saesneg mewn Cymraeg llafar nes bod rhyw fath o gymysgiaith newydd yn datblygu, a honno heb fod na Chymraeg na Saesneg, ond yn rhyw fastardiaith y cynigia 'Wenglish ' yn enw arni pan fydd wedi cyrraedd ei llawn dwf.

Yn y gweddill o'r ymdriniaeth traethir ar rai agweddau cyffredin-
ol ar y benthyciadau Saesneg yn y Gymraeg a manylir ar rai
pwyntiau sydd o ddiddordeb seinyddol neu ffurfiannol arbennig.
Ymhlith yr agweddau cyffredinol sylwir ar yr ystyr ysgafn a
gyfleir weithiau pan ddefnyddir gair Saesneg, e.e. *fox, dog,
fear(s), hope(s), boy*, mewn cyd-destun Cymraeg, a'r modd y ceir
mewn rhai ymadroddion air Saesneg mewn cysylltiad clos â gair
Cymraeg cyfystyr, e.e. ' du fel (y) *blac*,' ' torri *cyt*,' ' s(t)lumyn
baco neu *bacwn* ' (o Saesneg Canol *backe*, hen ffurf ar Saesneg *bat*).
Pwyntiau eraill y sylwir arnynt yw olion terfyniadau cyflyrol
Saesneg yn y benthyciadau i'r Gymraeg, rhai ffurfiau benthyg
dwbl megis *bord* a *bwrdd, ffôl* a *ffŵl, tiglis(t)* a *teils*, a rhai datblyg-
iadau seinyddol yn y benthyciadau, megis calediad (e.e. *clwpa* o
Saesneg Canol *clubbe* a *cocos* o S.C. *cogges*) a thrawsosodiad (e.e.
cysáct o S. *exact*). Ymdrinnir hefyd â phroblem yr aceniad—ar yr
un llinellau ag yn y nodyn yn *Bulletin of the Board of Celtic
Studies* XVII—ac ag ambell bwynt sy'n dangos dylanwad y
Saesneg ar gystrawennau'r Gymraeg.

Y mae'r astudiaethau ieithyddol a nodwyd hyd yn hyn yn
ffurfio un dosbarth o gyfraniadau Syr Thomas i ysgolheictod. Yn
yr ail ddosbarth fe ymdriniwn â'i gyfraniadau ysgolheigaidd i un
agwedd arbennig o lenyddiaeth Gymraeg, sef y canu rhydd
cynnar. Dechreusid cyhoeddi cerddi rhydd cynnar Cymraeg yng
nghyfrolau Cymdeithas Llên Cymru yn ystod y blynyddoedd
1900—1905, ond yn y blynyddoedd ar ôl hynny bu mwy o
gyhoeddi canu caeth Cymraeg hyd nes i Syr Thomas ailgydio yn
y canu rhydd a dechrau cyhoeddi ffrwyth ei ymchwiliadau yn y
tri-degau cynnar. Yn ystod y ddwy flynedd 1931 a 1932 daeth
tair cyfrol o'i waith o'r wasg : *Carolau Richard White* a *Llawysgrif
Richard Morris o Gerddi* yn 1931 a *Canu Rhydd Cynnar* yn 1932,
a'r tair cyfrol wedi'u cyhoeddi gan Wasg Prifysgol Cymru. Y
mae yn y llyfrau hyn destunau crai o lawysgrifau ynghydag
ymdriniaethau pwysig â tharddiad a thras y cerddi a gyhoeddir.
Isod ceir ymdriniaeth fer â chynnwys pob un o'r tair cyfrol.

Yn y gyntaf o'r tair, *Carolau Richard White*, cyhoeddir o
lawysgrifau bum carol o waith y merthyr Catholig Richard
White (1537 ?—1584), gŵr o Lanidloes a ddioddefodd hyd
angau dros ei ffydd a marw ar ôl ei boenydio tua chanol mis

Hydref 1584. Ar ddiwedd Carol I y mae White yn sôn amdano ef ei hun fel

> dyn dan warant Iesu
> yn dymuno ar Dduw bob dydd
> ar ddwyn i'r Ffydd y Cymry,

ac, fel y gallesid disgwyl, pledio achos Catholigiaeth a dilorni'r gwrthgilwyr a wneir yn y pum carol : cenir i'r Forwyn Fair ac i'r Iesu, rhestrir naw achos, gan ddilyn Robert Parsons, pam na ddylid mynychu 'eglwys Calfin,' gwawdir y rhai sydd yn pregethu yn erbyn Mair a thraethir ar y 'pedwar peth diwaethaf,' sef Angau, y Farn, uffern a nefoedd. Yn y rhagymadrodd i'r gyfrol crynhoir hanes Richard White, ymdrinnir â chynnwys ac arddull ei garolau ac â'r llawysgrifau sy'n cynnwys copïau ohonynt, ac esbonnir mai'r testun a brintiwyd yw hwnnw a geir yn llsgr. Cwrtmawr 303 yn llaw John Jones o'r Gellilyfdy, ynghyda rhai o'r amrywiadau mwyaf diddorol o'r llawysgrifau eraill. Ceir hefyd 'nodiadau cyffredinol' ar y carolau ac ymhlith sylwadau eraill dangosir (gan ddilyn *Publications of the Catholic Record Society* V, tt. 93-4) mai crynodeb mydryddol yw'r drydedd garol o waith Robert Parsons, un o wŷr yr Iesu, a fyddai'n cymryd arno yr enw 'Sir John Howlet,'—enw a ddigwydd ym mhennill olaf y garol Gymraeg :

> O daw gofyn, oer lesâd,
> Ymhle y cad y cantor,—
> Syr John Howlet, prydydd ffraeth,
> A gwae ni wnaeth ei gyngor.

Yn *Llawysgrif Richard Morris o Gerddi* y deunydd crai yw'r casgliad o gerddi (carolau, dyrïau, etc.) a gopïodd Richard Morris o Fôn, pan oedd yn llanc, i'r llawysgrif Add. 14, 992 yng nghasgliad yr Amgueddfa Brydeinig. Yn y gyfrol brintiedig cynhyrchwyd testun diplomatig, fel yn *Carolau Richard White*, ac fe leinw hwnnw dros 200 tudalen (tt. 3—215). Yn dilyn y testun ceir Mynegai iddo, gan nodi llawer iawn o eiriau benthyg o'r Saesneg, rhestr o 'Linellau Cyntaf' y cerddi, rhestr o deitlau a phenawdau'r cerddi a rhestr o enwau'r awduron, a'r cyfan yn ffurfio aparatws sy'n hwyluso llawer ar ddefnyddio'r gyfrol. Y mae'r Rhagymadrodd yn faith a phwysig. Ymdrinnir ynddo nid yn unig â bywyd a gwaith y copïydd Richard Morris ond hefyd â hanes rhai mathau o gerddi rhydd, yn fwyaf arbennig y ' carolau gwirod ' a cherddi fel ' Ymryson am y Clos,' ' Y Geiniogwerth Synnwyr ' a'r ' Blotyn Du.'

Parhad o'r un math o waith a geir yn *Canu Rhydd Cynnar*. Yn y gyfrol hon, sut bynnag, nid gwaith mydryddol un gŵr, megis yn *Carolau Richard White*, na chynnwys un llawysgrif, megis yn *Llawysgrif Richard Morris o Gerddi*, a geir. Yn hytrach ceir yma gasgliad helaeth o'r caneuon rhydd a gadwyd yn llawysgrifau'r unfed a'r ail ganrif ar bymtheg, caneuon sy'n cynrychioli amryw deipiau—yn gerddi moesol, duwiol a chrefyddol, yn gerddi brud a phrognosticasiwn, yn gerddi serch, natur, moliant a digrifwch. Ceir y cyfan hyn mewn amrywiaeth o fesurau acennog ac o dan deitlau megis ' araith,' ' ymddiddan,' ' dyri,' ' carol,' ' cwndid,' ' cerdd,' ' pennill ' ac yn y blaen. Yn y Rhagymadrodd, sydd dros gan tudalen, bwrir golwg dros hynny o ganu rhydd a geir yn y llyfrau printiedig cynnar, gan gynnwys y casgliadau o gerddi rhyddion a gafwyd o *Cerdd-lyfr* (1686) Ffoulke Owens, Nantglyn hyd at *Musical and Poetical Relicks of the Welsh Bards* (1784) gan Edward Jones, Bardd y Brenin. Cyffyrddir hefyd â ffurf, arddull ac ieithwedd gyffredinol y cerddi rhydd ac â'r arwyddion fod i lawer ohonynt draddodiad llafar.[1]

Ymhlith y cerddi rhydd a gynhwyswyd yn *Canu Rhydd Cynnar* yr oedd amryw benillion y buwyd yn eu galw'n ' hen benillion ' neu'n ' benillion telyn.' Daw hyn â ni at y gyfrol *Hen Benillion* a gyhoeddwyd gyntaf yn 1940, yn un o gyfrolau'r Clwb Llyfrau Cymreig. Fe geir ynddi gasgliad helaeth a gwerthfawr iawn o'r ' hen benillion ' hynny—cynifer â 741 ohonynt—wedi'u dethol a'u golygu gan Syr Thomas. Dyma'r pedwerydd cyfraniad

---

[1]Yn y cyswllt hwn y mae'n rhaid imi gyfeirio at ddwy astudiaeth o'r canu rhydd Cymraeg y bu dau o gyn-fyfyrwyr Syr Thomas yn gyfrifol amdanynt. Y gyntaf o'r ddwy o ran trefn amser yw Traethawd M.A. Prifysgol Cymru (1937) gan Mr. H. Meurig Evans ar ' Iaith a Ieithwedd y Cerddi Rhydd Cynnar.' Yr ail astudiaeth yw'r un sydd yn llyfr Mr. Brinley Rees, *Dulliau'r Canu Rhydd*, 1500—1650 (Caerdydd, Gwasg Prifysgol Cymru, 1952), sef astudiaeth drylwyr iawn o'r cyfatebiaethau rhwng cerddi rhydd cynnar y Cymry a chanu'r Saeson, astudiaeth a gyflwynasid yn Draethawd M.A. Prifysgol Cymru (1940). Bu'r ddau'n gweithio o dan gyfarwyddyd Syr Thomas ac yn datblygu rhai o'r sylwadau a wnaethai ef ei hun yn ei astudiaethau o'r canu rhydd.

ganddo i astudiaeth o'r canu rhydd Cymraeg, a dyma'r gyfrol a
fu â'r apêl ehangaf. Yn y tair cyfrol gyntaf cynhyrchwyd
testunau'r cerddi yn union fel yr oeddynt yn y llawysgrifau, ond
yn *Hen Benillion* diweddarwyd yr orgraff a bras ddosbarthwyd y
penillion yn ôl eu cynnwys. Ceir rhagymadrodd byr yn ymdrin
â thras y canu, ac â'r mathau o benillion a gynhwyswyd yn y
detholiad gan bwysleisio fod ' lle cryf i gredu nad yw llu mawr
ohonynt yn ddim amgen na darnau a phigion o gerddi neu
ganeuon neu faledi neu gyfansoddiadau mydryddol hwy—
gwaith mân feirdd, gan mwyaf.' Sonnir hefyd am y cefndir
sydd i'r penillion, gyda'i elfennau gwledig, amaethyddol a
phaganaidd. Ceir nodiadau yn esbonio tarddell rhai o'r penillion
neu rai cyfeiriadau ynddynt ac yna 'Ôl-ymadrodd' (un o aml
fathiadau geiriol Syr Thomas) lle yr ymdrinnir â'r math o
broblemau yr ymdriniwyd â hwy yn y rhagymadroddion i'r tair
cyfrol arall—rhai o'r llawysgrifau y codwyd penillion ohonynt, y
llyfrau a'r cylchgronau a fu'n ffynonellau, a hefyd restr o erthygl-
au a thrafodaethau ar bwnc y ' penillion.'

Gyda'i gilydd y mae'r pedair cyfrol hyn ar y canu rhydd cynnar
yn gyfraniad tra sylweddol i astudiaeth o hanes ein llenyddiaeth,
yn destunau ac yn ymdriniaethau. Cyn cyhoeddi'r olaf o'r
pedair, sef *Hen Benillion*, yr oedd Syr Thomas wedi llunio
detholiad o delynegion diweddar yn *Elfennau Barddoniaeth* (1935)
gan ddangos y math o batrymau adeiladwaith sydd iddynt. Yn y
gyfrol hon y mae gwaith yr ysgolhaig ac eiddo'r beirniad
llenyddol yn cyfarfod, megis hefyd yn ei ddetholiadau o waith
barddonol Islwyn ac Isgarn yn *Islwyn* (1948) a *Caniadau Isgarn*
(1949).

Y mae'r ddwy gyfrol a enwyd olaf uchod yn cynnwys canu
caeth cynganeddol yn ogystal â chanu rhydd, a daw hyn â ni at
ran Syr Thomas yng ngolygu *Llawysgrif Hendregadredd* a gy-
hoeddwyd yn 1933. Yr oedd y llawysgrif hon, sy'n cynnwys
casgliad pwysig iawn o farddoniaeth y Gogynfeirdd, wedi ei
hadysgrifio gan John Davies, Mallwyd ac yn 1842 yr oedd ym
meddiant yr Archddiacon R. Newcombe. Wedi hynny collwyd
golwg arni hyd nes ei darganfod ym mis Tachwedd 1910 mewn
hen wardrop yn Hendregadredd, ger Porthmadog. Yn Chwefror
1923 fe'i prynwyd gan Lyfrgell Genedlaethol Cymru. Copïwyd

y testun gan Mrs. Rhiannon Morris-Jones o ddarluniau ffotostat
o'r llawysgrif ac yr oedd y copi hwnnw bron i gyd wedi ei
baratoi ar gyfer y wasg gan Syr John Morris-Jones. Hefyd, yn ôl
tystiolaeth Syr Thomas yn ei Ragair i'r gyfrol, yr oedd Syr John
Morris-Jones wedi cywiro'n derfynol 'ryw 50 i 60, neu
ychwaneg, o dudalennau o'r copi printiedig' a 'rhyw 50 neu
ychwaneg wedi eu hanner gorffen, gydag ychydig nodiadau.' Y
mae'r testun i gyd yn 333 o dudalennau yn y gyfrol, ac ar dud-
alennau 335-359 ceir 'Nodiadau ac Ychwanegiad'. Felly, pan
fu Syr John Morris-Jones farw yn 1929 yr oedd cryn dipyn o
waith i'w wneud cyn y gellid cyhoeddi'r gyfrol. I Syr Thomas
Parry-Williams a Mrs. Rhiannon Morris-Jones yr ymddiriedwyd
y dasg o orffen y gwaith ac o'i lywio drwy'r wasg. Y mae'n
amlwg i'r neb sydd wedi gweithio ar lawysgrifau fod ceisio
sicrhau cywirdeb yn y darlleniadau wedi gofyn gwaith manwl
a dyfal uwchben y memrwn.

Yn 1946 traddododd Syr Thomas ei Ddarlith Goffa Syr John
Rhŷs gerbron yr Academi Brydeinig—darlith Saesneg ar y
pwnc 'Welsh Poetic Diction.' Arolwg cynhwysfawr a gwerth-
fawr iawn yw'r ddarlith hon o ddulliau'r beirdd Cymraeg o
ieithweddu ac o fynegi eu syniadau o tua chanol y chweched
ganrif hyd at y ganrif hon. Ymdrinnir â chanu'r Cynfeirdd, y
Gogynfeirdd â'r Cywyddwyr yn ogystal â'r cerddi rhyddion a
ddaeth i'r golwg yn yr unfed ganrif ar bymtheg, canu rhydd
cynganeddol Huw Morus a'i gymheiriaid, yr 'hen benillion,' a
hyd yn oed ddulliau ymadroddi'r Bardd Cocos. O dan yr
ymateb i lenyddiaeth a amlygir yn y ddarlith hon y mae sylfaen
gadarn o ysgolheictod a gwybodaeth eang. Arolwg tebyg o ran
ei gynllun a'i gwmpas yw'r ymdriniaeth â 'Natur ym Marddon-
iaeth Cymru' yn *Transactions of the . . . Cymmrodorion* 1941,
tt. 87—99.

I gloi'r ysgrif hon y mae'n rhaid cyfeirio at nifer o gyfraniadau
ysgolheigaidd gan Syr Thomas ar amrywiol bynciau.

Noder yn gyntaf ei erthygl 'The Language of the Laws of
Hywel Dda' yn *Aberystwyth Studies* X (1928), tt. 129—150, ar
achlysur dathlu milflwyddiant Hywel Dda. Y mae cynnwys yr
erthygl yn lletach na'r hyn a awgrymir gan y teitl: cyn dod at
iaith y testunau cyfraith ceir bras ddosbarthiad o'r llawysgrifau

sy'n cynnwys testunau Lladin a Chymraeg, nodyn ar y fersiynau printiedig a disgrifiad o lsgr. Peniarth 29 neu'r Llyfr Du o'r Waun, y testun Cymraeg cynharaf sydd ar gael. Yn yr ymdriniaeth â'r iaith traethir ar bedwar pwynt, sef problem orgraff ryfedd Y Llyfr Du o'r Waun, geirfa'r cyfreithiau, rhai o nodweddion gramadegol y gwahanol fersiynau, a'r posibilrwydd fod olion tafodieithol i'w canfod yn rhai o'r testunau. Ceir ganddo gyfraniadau hefyd yn rhifynnau cynharaf *Bulletin of the Board of Celtic Studies.* Yn y gyfrol gyntaf, tt. 103—113, ceir nodiadau ar gyfres o eiriau ac ymadroddion a ddigwydd mewn Cymraeg Canol, ac ar dd. 120—122 sylwadau ar rai o'r glosau Hen Gymraeg yn llawysgrif ' Juvencus ' sy'n arddangos dylanwad Gwyddeleg, fel yr oedd ei Athro gynt mewn Hen Wyddeleg, Rudolf Thurneysen, wedi awgrymu. Syr Thomas a oedd wedi copïo'r testun o ' Englynion y Clyweit ' o lsgr. Llanstephan 27 ar gyfer eu golygu gyda nodiadau gan Syr Ifor Williams yn *Bulletin* III, tt. 9—15. Yn yr un gyfrol, tt. 81—88, golygodd destunau o *Breuddwyd Pawl* o bedair llawysgrif—Peniarth 191, Bangor 1, Peniarth 14 a Pheniarth 32—testunau sydd yn cynrychioli dau gyfieithiad Cymraeg Canol, a'r naill a'r llall wedi eu seilio ar ddau fersiwn gwahanol o'r *Visio Sancti Pauli.* Ac yma wrth sôn am destunau rhyddiaith a olygwyd ganddo, y mae'n iawn cyfeirio at ei ddetholiad o ystorïau byrion yn *Ystorïau Heddiw* (1938), at ei ddiweddariad o'r hen chwedlau yn *Pedair Cainc y Mabinogi* (1937) ac at ei gyfraniadau i'r gyfrol *Rhyddiaith Gymraeg* I (1954) sy'n cynnwys detholion o ryddiaith Gymraeg o lawysgrifau'r cyfnod 1488—1609 wedi eu paratoi ar gyfer efrydwyr yn bennaf. Nodwn hefyd ei wasanaeth fel aelod o Fwrdd y Gwybodau Celtaidd ac o Fwrdd Golygyddol *Geiriadur Prifysgol Cymru.*

Ceisiwyd disgrifio uchod gyfraniadau Syr Thomas i ysgolheictod, a gobeithiaf imi ddangos eu bod yn sylweddol ac yn niferus. Pe na bai wedi cyflawni dim byd y tu allan i faes ysgolheictod yn ystod ei oes, gallasai fod yn fodlon iawn. Pan gofiwn am ei gyfraniadau eraill fel bardd a llenor, fel beirniad llenyddol, ac fel ffigur amlwg gyda'r Eisteddfod a'r Llyfrgell Genedlaethol a llawer pwyllgor ni ellir llai na rhyfeddu at ei weithgarwch ysgolheigaidd.

BRASLUN RADIO

gan SAUNDERS LEWIS

A R ôl y rhyfel byd cyntaf y dechreuais i ymhél â llenyddiaeth Gymraeg. Y mae hynny dros ddeng mlynedd ar hugain yn ôl. Yn awr mi ofynnaf gwestiwn i mi fy hunan : pwy yn y cyfnod hwn o ddeng mlynedd ar hugain yw'r llenor pwysicaf ei ddylanwad ar lenyddiaeth ? Nid pwy yw'r bardd mwyaf na hyd yn oed pwy yw'r llenor pwysicaf ei ddylanwad yn gyffred-inol. Ond pwy yw'r llenor pwysicaf ei ddylanwad ar feirdd a llenorion eraill a fu'n cyhoeddi eu gwaith yn yr un cyfnod ? Mi gredaf i mai'r ateb cywir yw—y Dr. T. H. Parry-Williams.

Nid gwerthfawrogiad cytbwys o'i waith ef yw f'amcan i 'rŵan. Ond ceisio awgrymu i'r gwrandawr cyffredin natur y dylanwad a gafodd Parry-Williams ar eraill sy'n llenydda neu'n barddoni. Fe'n magwyd ni oll sy dros ein hanner cant oed yn y traddodiad rhamantaidd. Ein syniad ni am farddoniaeth oedd yr hyn a geid yn *Telyn y Dydd*, Annie Ffoulkes neu yn y detholiad o feirdd modern a geid yn y *Flodeugerdd Gymraeg* gan W. J. Gruffydd yn 1931. 'Fedrai neb ohonom ddianc rhagddo. 'Fedrai Parry-Williams ddim chwaith. Mae ganddo delyneg fach yn llyfr Annie Ffoulkes, a dyma hi yn y fersiwn a geir yno, dan y teitl ' Dagrau ' :

Wylais neithiwr ar obennydd
Na bu dagrau arno erioed ;
Wylais ddafnau'n angerddoldeb
Bywyd llanc a'i feddal oed.

Ond nid wylwn am fy mhechod,—
Nid oedd hwnnw'n fy nhristáu ;
Ac nid wylwn f'edifeirwch,—
Ni wn erioed edifarhau.

Duw a ŵyr beth oedd fy nagrau,
Ef ei hun oedd biau'r lli ;
Wylwn am fod rhaid i'r Duwdod
Wrth fy nagrau i.

Wel, dyna un o'r pum mil efelychiad o *Cŵyn y Gwynt*, John Morris-Jones. Ac os gofynnwch chi sut ar wyneb y ddaear y gallai neb yn ei bwyll ddweud :

> Wylwn am fod rhaid i'r Duwdod
> Wrth fy nagrau i,

dyma i chi esboniad Parry-Williams ei hunan ar y peth, yn ei gyfrol *Olion* :

> Gellir ymgodi'n foethus i gyflwr ecstatig dyrchafedig, lle'r ymddengys yr hyn sy'n amhosibl yn fwy na'r hyn sy'n debygol, lle y daw breuddwydion yn wir, lle y mae ieithwedd farddonol yr unig un naturiol, hynny yw, lle nad yw gosodiad fel ' ynom mae y sêr ' yn swnio'n ddigrif, heb sôn am chwerth-inllyd.

Dyna fo inni : traddodiad ecstasi oedd y traddodiad rhamant-aidd ac arddull yr ecstatig. Yn awr, a gawn ni wrando ar gân a gyhoeddodd Parry-Williams yn y flwyddyn 1924. ' Celwydd ' yw ei theitl hi :

> Daeth Haf bach Mihangel trwy weddill yr ŷd,
> Yn llond ei groen ac yn gelwydd i gyd.
>
> Adwaen ei driciau bob yr un,—
> Ei ddynwaredwr wyf i fy hun.
>
> Twyllwr wyf innau. Pwy sydd nad yw,
> Wrth hel ei damaid a rhygnu byw ?
>
> Ac anferth o gelwydd yw'r bywyd sydd
> Mewn ofn a chadwynau nos a dydd.
>
> Weithiau—mewn breuddwyd—daw fflach o'r gwir
> Ond wedyn anwiredd a thwyllo hir.
>
> Anturiwn weithiau ddynwared Duw,
> Ond snecian yr ydym wrth geisio byw . . .

Pan gyhoeddwyd hwnna yr oedd yn chwyldro. Gadawyd y ' perl gynteddoedd ' ac y mae adar Rhiannon wedi tewi. Nid pathos sentimental ' Thomas Morgan yr Ironmonger ' sydd yma chwaith. Ond y gwir diflas am gyffredinedd bywyd dynion.

Mae ymffrost telyneg 'Dagrau' wedi darfod. Ac nid rhyw antur-
iaeth feiddgar, nid chwilio am ffynonellau newydd ac annisgwyl
i eirfa barddoniaeth sy'n cyfrif am y geiriau tafodiaith a'r ym-
adroddion llafar bro sydd yn y gerdd. Nage, y rheini sy'n
lleoli'r gân, yn tystio nad proffwyd unig yw'r bardd mwyach yn
byw o ecstasi i ecstasi, ond dyn normal yn siarad tafodiaith ei
ardal, ac yn troi barddoniaeth yn foddion i gysidro'i fywyd ac i
gysidro bywyd. A sylwn ar y mesur. Rhigwm yw enw Parry-
Williams ar y cwpled hwn sy'n gynnyrch pwysicaf ei waith fel
bardd. Fe ymwadodd o fwriad â llawer iawn wrth ei ddewis,
ymwadu â rhuthmau penillion rhwysgfawr neu baragraffau
lluosog, ymwadu â miwsig ymchwyddog, ymwadu â hwyl,
ymwadu â pherorasiwn y soned. Bid siŵr, nid y math newydd
hwn o ganu sy'n rheoli yn y gyfrol *Cerddi* a gyhoeddodd ef yn
1931. Fe geir sonedau yno ; a'r sonedau'n unig, wrth gwrs, a
aeth i mewn i'r *Flodeugerdd Gymraeg* yr un flwyddyn. Yn wir, y
mae Parry-Williams wedi cadw'r soned yn ddihangfa hanner
rhamantaidd hyd yn awr. Ond trown at *Olion*, 1935, sy'n cynnwys
canu'r awdur yn ystod hanner cynta'r tri-degau, ac fe welwn
mai'r rhigymau a'u harddull sy bennaf mwyach. Dowch inni
wrando ar y cyntaf ohonynt i gael naws y casgliad, er bod yn
iawn cyfaddef hefyd y gellid dadlau mai soned yw'r gerdd hon.
Beth bynnag am hynny, mae'r arddull yn nodweddiadol.
' I'm Hynafiaid ' yw'r teitl.

> Diau mai prin oedd eich grasusau chwi
> Na throsglwyddasoch odid ddim i mi.

> Ni chefais gennych lawnder manna a medd,
> Dim ond gweddillion megis gwedi gwledd.

> Ni chefais dwymyn un diddanwch pur,
> Dim ond gogleisiad bob yn ail â chur.

> Ni chefais lif pen-llanw nwyd ar dro,
> Dim ond rhyw don fach bitw ar y gro.

> Ni chefais win cyforiog unrhyw ddawn
> Dim ond rhyw jòch o gwpan hanner llawn.

> Ni chefais sadrwydd barn yn waddol drud,
> Dim ond ymennydd sydd yn rhemp i gyd.

Ond diolch byth, er lleied a roed im,
Nid ydwyf yn dyheu am odid ddim.

Rhaid cydnabod fod elfen o sentimentaleiddiwch yn y gân
yna, ac i mi y mae rhywbeth braidd yn ddychrynllyd yn y llinell
olaf. Ond y mae hi'n enghraifft o'r farddoniaeth anecstatig
feirniadol a dadansoddol sy'n medru defnyddio iaith lenyddol ac
ymadroddion llafar blith drafflith. A'r hyn a wnaeth Parry-
Williams fel hyn â stwff barddoniaeth ac â geirfa barddoniaeth
yw'r chwyldro a ddug i fod farddoniaeth Gymraeg ail chwarter
yr ugeinfed ganrif. 'Fuasai sonedau mawr Williams Parry yn
1937-38 ddim yn bosibl oni bai am Parry-Williams. Neu,
agorwn *Ysgubau'r Awen* Gwenallt a buan iawn y gwelwn ddyled
ei eirfa a'i odlau yntau i'r rhyddid eang a roesai Parry-Williams
inni. Yr oedd y chwyldro hwn wedi digwydd yn Gymraeg cyn
dechrau o feirdd ifainc y tri-degau efelychu beirdd Saesneg y
vers libre. Yn hanes barddoniaeth Gymraeg y mae i Parry-
Williams le mor arbennig fel arloeswr ag y sydd i'w gyfoeswr
Eliot yn hanes barddoniaeth Saesneg. Tybed a ddywed ef
wrthym rywdro pa feirdd Ffrangeg ac Ellmyneg y bu ef yn
myfyrio drostynt cyn 1912 ?

Yr wyf yn troi 'rŵan at ddylanwad rhyddiaith Parry-Williams.
Gŵyr pawb amdano fel awdur ysgrifau oddi ar ymddangos
' K.C.16 ' yn rhifyn cyntaf y *Llenor*, ac y mae gan y Dr. Thomas
Parry bennod yn ei lyfr, *Llenyddiaeth Gymraeg* 1900—1945, ar
olynwyr da Parry-Williams yn y math hwn o sgrifennu. Erbyn
hyn hefyd y mae ysgrif yn null ei *Ysgrifau* yn gystadleuaeth
anhapus reolaidd yn yr Eisteddfod Genedlaethol.

Ond y mae'r awdur ei hunan yn dianc rhag ei ddilynwyr a
rhag ei ddynwaredwyr. Cofiwn ac ystyriwn fod ganddo gefndir
o brofiad anghyffredin i lenor Cymraeg. Teithiodd o'i Ryd-ddu
lawer mwy na'r rhelyw ohonom. Ychydig o sôn sy ganddo am
ei fyw yn Ffrainc a'r Almaen ond y mae ganddo lawer ar fydr a
phros am Ddeau a Gogledd yr Amerig, am lannau Perŵ a
mynyddoedd yr Andes a'r Grand Canyon a Cholorado a'r Great
Salt Lake a'r Coed Mawr. At hynny fe gafodd hyfforddiant a
disgyblaeth wyddonol am gyfnod. Cadwodd ei ddiddordeb
mewn gwyddoniaeth a gadawodd hynny ei olion yn eglur ar ei
ryddiaith a'i gerddi. Gellir gweld y peth yn ei ddisgrifiad o

operasiwn yr *Appendicitis* yn *O'r Pedwar Gwynt* a'r disgrifiad anatomig o'r pryf genwair yn *Ysgrifau*. Mae'n siwr gennyf fod Mr. O. E. Roberts, Lerpwl, wedi myfyrio uwchben yr ysgrifau hynny.

Nid ar y darnau hynny y gwahoddaf i chwi i wrando'r tro hwn. Diddorol sylwi ar y modd y bu i'w ddisgyblaeth wyddonol ddysgu iddo graffu ar bethau a dadansoddi profiadau yn fanwyaidd gywrain. Mae ganddo ysgrif ar ' Dywod,' 1927 ac, yn honno ddisgrifiad o'r awrwydr neu'r peth-berwi-wyau. 'Wn i ddim sut y mae dadansoddi a diffinio'r swyn a fu imi yn y paragraff hwn : ystwythder a hyblygrwydd a manylrwydd y brawddegau, a'r cywreinrwydd y try'r disgrifio gwrthrychol yn fyfyrdod drwyddo, tan na throso'r peth-berwi-wyau yn sumbol megis o fywyd ei hunan ac ymgysylltu felly â llinell olaf soned ' Dychwelyd.' Ond bernwch chwi :

> Rhyw dywod coch, mân sydd yn y peiriant bach delicet hwn, ac y mae meinder cynnil y llif bach tywod trwy'r gwddf cyfyng o un gronnell wydr i'r llall yn ogleisiol o atyniadol. Ymddengys y llif gronynnau fel un darn llinyn solet, llonydd hollol. Yr unig symud neu newid a ganfyddir ydyw gostyngiad y domen uchaf a chodiad y domen isaf, y naill yn gostwng gyda phant yn ei chanol a'r llall yn codi'n grugyn pigfain. Yn sydyn weithiau daw chwalfa ar y domen fach isaf, fel afalans, a chwymp yn yr uchaf, ond ailgyfyd y pigyn drachefn. Ac y mae'r llif mor llonydd, a'r cwbl yn digwydd mor anhraethol ddistaw a disymud,—ac nid oes nemor ddim sy'n ddistawach na llonyddach na rhywbeth a fo'n chwyrn-symud yn union-syth a di-stŵr. Wedi cwympo o'r tywod i'r gwaelod i gyd (ac ymddengys yn beth anhygoel ei fod wedi stopio mynd trwodd) y mae distawrwydd neu lonyddwch mwy fyth, wedi'r gorffen symud, ac yn sicr nid oes dim oll sy'n llonyddach na distawach na rhywbeth a fu'n cyflym symud yn ddistaw, ac yn sydyn wedi peidio â symud.

Mi hoffwn ddangos cysylltiad rhyddiaith Parry-Williams â rhai o brif dueddiadau rhyddiaith yr ugeinfed ganrif yn Ewrop. Y mae tair thema yn ei ysgrifau y gellir galw sylw atynt.

Yn gyntaf, thema'r profiad rhamantaidd sydd weithiau'n

brofiad abnormal, megis, er enghraifft, hwnnw a ddisgrifir yn y
' Gri.'

Mae gan Parry-Williams ddiddordeb y seicolegydd a diddordeb
y bardd yn y profiadau hyn, ac y mae 'nhw'n destun i nifer go
helaeth o'i ysgrifau ar ei blentyndod yn Rhyd-ddu. Mi gredaf i
mai'r llith ar ' Ddrws-y-Coed ' yn *Synfyfyrion* yw'r dwysaf a'r
dyfnaf o'r holl ddisgrifiadau hyn. Bydd yr ysgrif honno'n peri i
mi gofio am ddarnau tebyg gan Wordsworth yn sôn am ei
fachgendod yntau yn y *Prelude*. Ond fy mwriad i'n awr yw
dewis darnau sy'n dangos rhyddiaith Gymraeg yn ennill tir
newydd. Gan hynny mi ddewisaf y paragraff ar yr Ias yn
Ysgrifau. Diau y cofiwch chi'r disgrifiad o'r dref ddiffaith,
Mollendo, ar forlan Perŵ lle y dywedodd cyd-deithiwr wrth y
bardd, ' meddyliwch am gael eich claddu yn y fan acw ? '

> Pa ryfedd, felly, i mi ddechrau ymsynio y noswaith honno
> ynghylch pellter a'r anobaith digynhorthwy sydd ynglŷn ag
> ef, wedi gweld a theimlo'r anialwch dilesni a diobaith hwn ?
> . . . Yn sydyn daeth yr ias, megis gwasgu swrth cynnes gan
> grafanc flewog, tebyg iawn i oroglais. Creai'r ias gymysgedd o
> ofn ac anobaith, hurtrwydd a difaterwch, a phopeth negyddol
> felly, a'r rheiny'n troi'n ddisymwth yn bethau croes i hynny,
> —rhyw bendraphendod meddwol ; ac ynghanol y cwbl yr
> oedd sylweddoliad pellter a'r elfen o ddigynorthwywch
> terfynol, anobeithiol sydd ynglŷn â'r ymdeimlad byw ohono,
> yn dyfod am eiliad. A dyma sy'n rhyfedd, a chwerthinllyd
> braidd, ond yn gyflawn wir er hynny,—yr ymennydd fel
> petai'n ymgrebachu neu'n ymgynghreiddio nes ei deimlo fel
> pysen fach yn ysgwyd mewn penglog wag ond hynny.

Mae'r darn yna'n rhy astrus gyfoethog ei eirfa a'i ffigurau i'w
ddeall na'i werthfawrogi ar un gwrandawiad. Mae o'n cyfuno
ymdeimlad a dadansoddiad o'r teimlad, synhwyro a haniaethu, y
grafanc a welodd Teirnon yn y Mabinogi a'r madrondod a
brofodd y Salmydd mewn gwin, gyda gorchest o ymenyddwaith
mewn pros sy'n peri fod Cymraeg y darn yn sefyll gyda rhai o
gampau rhyddiaith ddisgrifiol Aldous Huxley yn ei nofelau
Saesneg gorau bymtheg mlynedd yn ôl. Oddi wrth Huxley
trown at Kafka. Ail thema fawr yng nghyfrolau Parry-Williams
yw thema euogrwydd a'i ofn. Fe'i ceir yn hanner cellweirus pan

êl ef i brynu caneri neu wrth sôn am ei fys clec. Fe'i ceir yn fynych yn ei gerddi. Yn ei gyfrol gyntaf, *Ysgrifau*, 1928, braidd nad dyma brif thema'r llyfr.

Yn yr ysgrif ar ' Gydwybod ' eir ati i ddadansoddi'r peth a cheir darn o nofel yn null Kafka ei hunan :

> Yn sydyn tybiais fod un o fysg y dyrfa ar y cei a'i lygaid yn union sicr arnaf. Amhosibl. Oedd, yn wir i chwi, yr oedd ei lygaid arnaf i yn ddigamsyniol. Nis adwaenwn ef, a gwyddwn na'm disgwylid gan neb, ac euthum yn anesmwyth braidd. Ceisiais ei anghofio a'm perswadio fy hun i gredu fy mod i'n nerfus am ddim, ac i ddangos fy newrder i mi fy hun edrychais tuag ato drachefn. Syllai yntau'n syth ond hanner llechwraidd (fel heliwr wedi gyrru'r pryf i'r gornel ac yn ymalio bod yn ddifater ac anwyliadwrus). Euog neu beidio, cofiais yn annifyr fy mryd am yr ystraeon cynhyrfus a ddarllenaswn am ddisgwyl troseddwr a drwgweithredwyr oddi ar longau mawr a phob cyfryw sefyllfâu a drahoffir gan ystorïwyr gwefreiddiol, ac âi fy nghefn yn oerach a'm pen yn boethach bob munud. Hyd yn oed petai'n fy restio ar gam (ac i mi nid oedd ond y wedd honno ar yr amgylchiadau yn bosibl), byddai'n beth annymunol, a dywedyd y lleiaf. Cefais chwarter awr annifyrraf f'einioes yn y fan honno, gellwch fentro.

Yr euogrwydd yma, un o nodweddion llenyddiaeth ein cyfnod ni, a yrrodd ddeallusion llancaidd Rhydychen yn haid i'r Blaid Gomwnyddol yn y tri-degau, neu i geisio'i dagu, megis Orwell, drwy ymbroletareiddio. Ond y mae'n ddyfnach yn Parry-Williams hefyd. Y mae atgof ac awgrym o alegori fawr Adda a'r alltudiaeth o Eden yn ei sylwadau ef ar y profiad.

Ond rhaid imi droi at drydedd thema bwysig yn ysgrifau fy awdur. Mi gymera' i deitl i hon oddi wrth y nofelydd Ffrangeg, Marcel Proust, sy'n sôn am yr hyn a alwaf i yn *ysbeidioldebau'r galon*. Fe geir enghraifft enwog iawn o'r profiad hwn ar ddechrau ei nofel enfawr ef. Daw Proust adref un prynhawn o aeaf ac, am ei bod hi'n oer, y mae ei fam yn cynnig gwneud te iddo. Gyda'r te ar yr hanbwrdd y mae teisenni bychain a elwir yn deisenni Madlen. Y mae yntau'n trochi mymryn o'r deisen yn y te a'i brofi. Ac yna fe â ias drwy ei holl gorff. Am dro 'fedr ef ddim deall yr ias ryfedd ond fe ŵyr fod rhywbeth yn codi ynddo o'r gorffennol, o'i blentyndod pell, ac yn ei lenwi, cyn iddo'i adnabod, â pherlewyg o atgof a hen anwyldebau, ac yn sydyn fe ddaw'r peth yn glir i'w gof—dyna'r blas, blas te a theisen Fadlen, a gâi ef yn blentyn yn y wlad yn Normandi gyda'i fodryb ar foreau Sul ers talwm, ac y mae'r blas yma'n gychwyn i'w holl ddisgrifiad ef o'r gymdeithas y ganed ef iddi a'r holl fywyd yn Normandi gynt.

Fe wêl pawb ohonoch sy'n gynefin â gwaith Parry-Williams fod y profiad Proustaidd hwn yn un o'r profiadau mwyaf nodweddiadol o'i holl waith ef. Y mae'r peth yn rhan o fold neu rigol ei ymwybod ef. Ail-ddarganfod profiadau'r Rhyd-ddu yw ei hanes ef o hyd ac o hyd yn Chicago, yng Nghaliffornia, Mecsico. *Synfyfyrion* yw'r mwyaf Proustaidd o gyfrolau'r awdur, ac fel enghraifft o'i ddull yn y cywair hwn mi gymeraf yr ysgrif ' Grisial.' Dyma fy nyfyniad olaf i o'i waith ac y mae hi'n ysgrif mor bwysig i flasu rhin y bardd a'r llenor hwn ag ydyw ysgrif ' Drws-y-Coed.' Yn rhan gyntaf yr ysgrif fe ddisgrifia'r cwmni o blant ac un hen ŵr a arferai yn amser ei fachgendod ef gasglu grisial a gwerthu'r darnau i ddringwyr haf yr Wyddfa gerllaw stesion y lein bach yn Rhyd-ddu. Ac yn awr gwrandewch ar fyfyrdod yr awdur sydd megis darn o'r nofel gan Proust *Ar Drywydd yr Hen Amser Gynt,* ond mai Eryri sydd yma, nid Normandi, a'r Rhyd-ddu yn lle Combrai :

Yr oeddwn wedi anghofio popeth am y grisial gynt, ac yn wir heb erioed dybied bod dim rhin na grym o unrhyw fath ynddo, na'i fod ychwaith yn arwyddlun o ddim i mi,—fel y byddir yn aml gyda phethau bach cynefin nes iddynt ddyfod yn ôl yn sydyn o anghofrwydd y blynyddoedd yn anterth eu harwyddocâd. Er inni lwyr anghofio hen bethau bach felly, eto y maent hwy o'r golwg yn hel ac yn crynhoi ystyr a grymuster gyda threigl y blynyddoedd, ac yn ymdaith gyda ni heb inni wybod dim. Wedi dyfod unwaith i gyffyrddiad byw â hwynt, ni ellir byth eu hesgymuno wedyn. Y maent gyda ni o hyd er inni fod heb ymwybod dim â hwynt am ddarn o oes. Hwyrach na ddaw rhai ohonynt byth i'r golwg nac i'r wyneb eilwaith, ond y mae'n sicr eu bod yno bob amser, fel pethau'n perthyn i rannau ohonom nad ydynt byth yn cael siawns na chyfle i ymddangos hyd yn oed yn nirgelwch ein cymundeb â ni ein hunain ; ond arhosant gyda ni yn rhywle yn simbolau cyfrin o rywbeth sy'n rhan ohonom, yn arwyddluniau di-gamsyniol o rywbeth sy'n gyfran o gyfanswm y bod sy'n eiddo inni.

Soniais am betrol a pheiriant—pethau sy'n newydd ar yr hen lôn bost, ond trwy gyfrwng y rhain y daeth y grisial yn ôl i mi a thaflu ei adlewyrch ar draws y blynyddoedd. Tybiais unwaith neu ddwy mai llygad llygoden mewn twll yn y wal gerrig ydoedd y llygedyn o oleuni am eiliad a welswn ar ochr chwith y ffordd yn yr hen fro wrth yrru'r cerbyd liw nos. Yn y fan honno y mae tro crwn yn y wal, yn arwain i dwnnel defaid ac felly yn wynebu golau'r cerbyd. Ni wnaeth gweld y golau bach y tro cyntaf ond argraff ennyd arnaf, na'r ail ychwaith fawr fwy ; ond y trydydd tro mi sylweddolais fod y fflach eiliad hon yn dyfod o damaid o risial mewn twll yn un o gerrig y wal. Ffordd ryfedd gan risial o ddyfod yn ôl a'm dal,—ond fe ddaeth ; nid yn ddigywilydd ac wynep-galed, ond yn swil a llednais. Yn y golau bach diniwed hwn mi rychwentais y blynyddoedd, a mwyach bydd un llwybr arall o oleuni yn croesi'r ' tir pell ' sy'n ymehangu ac yn ymestyn yn wastadol yn ein bywydau wrth inni deithio ymlaen.

[Ymddangosodd yr ysgrif hon yn *Llafar*, Haf 1955. Gadawyd darn allan yn awr. Sgwrs radio ydoedd a draddodwyd 17 Ionawr, 1955].

ATGOFION

(i) Rhydychen, 1909-11

gan SYR GORONWY EDWARDS

Bu Parry-Williams yn fyfyriwr yng Ngholeg yr Iesu, Rhydychen, o dymor Mihangel 1909 tan dymor yr Haf 1911. Yr oeddwn i yn un o'i gyfoedion yno. Cawsom ddwy flynedd gyda'n gilydd yn Rhydychen, ac o fynych gydrodio'i llwybrau a chydymdroi yn ei chynteddau aethom yn gyfeillion. A thrwy bron drigain mlynedd ni fu rhyngom dim colli adnabod.

Yr oedd Parry-Williams yn ysgolor o Goleg yr Iesu. Enillasai un o ysgoloriaethau Meyrick ar gyfer graddedigion. Sefydlwyd yr ysgoloriaethau hyn gan y Coleg ychydig o flynyddoedd ynghynt, ac ar awgrym y prifathro, Syr John Rhŷs, i'w cynnig i raddedigion Prifysgol Cymru a Choleg Dewi Sant, Llanbedr. Etholwyd Parry-Williams i'w ysgoloriaeth ' er ymchwilio i iaith a llenyddiaeth Geltaidd.' Prif amcan ei ddod i Rydychen oedd bod yn ddisgybl i Syr John Rhŷs, un o ysgolheigion enwocaf yr oes. Pryd hynny, nid oedd prifysgolion Prydain wedi sefydlu gradd y Ph.D. ar gyfer efrydwyr-ymchwil, a'r graddau a fyddai'n agored iddynt yn Rhydychen oedd y B.Litt. a'r B.Sc. Byddai'r ymgeiswyr am y graddau hyn yn paratoi traethawd ar ryw bwnc penodedig dan arolygiaeth rhyw ysgolhaig cyfarwydd. Y cwrs addas i Parry-Williams oedd cwrs y B.Litt. Ei bwnc penodedig oedd ' Geiriau benthyg o'r Saesneg i'r Gymraeg.' Pwnc oedd hwn a awgrymwyd iddo ar y cyntaf gan ei athro yn Aberystwyth, Edward Anwyl, a chan mai pwnc ieithyddol ydoedd, naturiol oedd penodi Rhŷs i gyfarwyddo'r ymchwil.

Fel rheol, byddai raid i ysgolor drigo—am ran o'i gwrs, beth bynnag—o fewn i furiau'r coleg, ond cafodd Parry-Williams gennad o'r dechrau i letya oddi allan. Yn Rhydychen yr adeg honno, hawdd fuasai i fyfyriwr-ymchwil ymgadw iddo'i hun nes mynd yn rhyw hanner meudwy, yn enwedig os preswyliai y tu allan i'w goleg. Nid oedd llawer o berygl y digwyddai hyn i Parry-Williams, fodd bynnag. Yn un peth, hoffai chwarae pêl-droed—y bêl-droed gron, ' dull Gwynedd ' megis, nid dull

Deheubarth—ac yr oedd yn chwaraewr medrus. Felly, byddai'n mynychu'r maes chwarae yn gyson. Ceir cyfeiriad atgofus at hyn yn un o'i ysgrifau diweddaraf. Odid na chofia'r darllenydd yr ysgrif honno ar 'Nimrod' yn y *Myfyrdodau*. Sonia'r awdur yno am un ystafell yn ei dŷ lle cedwir, ymysg amryfal greiriau eraill,

> lluniau mawr fframiedig, megis wedi eu diarddel, er eu bod yn rhai diddorol anghyffredin i mi. Grwpiau ydyw amryw ohonynt, ac yn eu plith un ohonof i, yn llanc pennoeth, breichnoeth a phenglinnoeth, yn eistedd ar lawr yn un o aelodau tîm pêl-droed Coleg yr Iesu, Rhydychen. Blaenwr bach sydyn . . .

Sylwer ar ddwy frawddeg yn arbennig. 'Un o *aelodau* tîm pêl-droed Coleg yr Iesu' : hynny ydyw, chwaraewr sefydlog—nid rhyw U.N. ARALL achlysurol. 'Blaenwr bach *sydyn* . . .': trwy'r gair cynnil 'sydyn . . .' (un o'r 'Geiriau benthyg o'r Saesneg i'r Gymraeg,' gyda llaw) ceir cip ar y 'blaenwr bach,' nid fel y mae yn y 'llun mawr fframiedig,' 'yn eistedd ar lawr' yn ei unfan, ond fel y byddai ar feysydd chwarae, yn chwim ymsymud ar ysgafn ac ystrywgar droed.

Mwy hanfodol, fodd bynnag, oedd ei gysylltiad â Chymdeithas Dafydd ap Gwilym, 'y Dafydd' fel y gelwid hi. Erbyn 1909, yr oedd y Gymdeithas bron yn chwarter canrif oed, ac yn enwog trwy holl Gymru. Ei hamcan (yn ôl ei rheolau cyntefig) oedd 'ymdrin â llenyddiaeth, a hanes, a chelfau cain Cymru.' Golygai hyn, yn ymarferol, fod y Gymdeithas yn ymgadw rhag ymdrin â phynciau crefyddol, eglwysig a gwleidyddol. Yn hyn oll, yr oedd Parry-Williams a'r Dafydd yn cyd-daro : yr un oedd eu 'pethau' hwynt ill dau. Pan aeth i Rydychen, ymunodd â'r Gymdeithas yn ddioed, a bu'n aelod hynod gyson a gweithgar.

Fel y gwyddys, y mae'r mwyafrif mawr o lyfrau cofnodion y Dafydd yng nghadw yn Llyfrgell Bodley, ond fel mae'r gwaethaf, ni cheir yn eu plith y gyfrol a berthynai i'r blynyddoedd rhwng 1910 a 1914. Mae'n amlwg na throsglwyddwyd mohoni i'r Llyfrgell, ond ni ŵyr neb paham : gallwn ddyfalu iddi fynd ar goll rywsut yn chwalfa fawr y Rhyfel Cyntaf. Godidog o beth fyddai dod o hyd iddi. Ac nid hollol anobeithiol hynny, hwyrach: mi fu dwy gyfrol arall o'r cofnodion—y ddwy gynharaf oll—ar

Tîm Pêl-droed Coleg yr Iesu, Rhydychen, 1910-11

goll am hanner canrif cyn eu hadfer o'r diwedd yn 1945. Os nad adferir y gyfrol sydd eto fyth yngholl, fe erys cryn fwlch yn hanes y Gymdeithas, ac ni bydd amgenach defnydd at ei lenwi na'r gyfres anghyflawn o raglenni-tymor, a rhyw ychydig atgofion gwasgarog gan ambell hen aelod.

Fel rheol, cynhelid cyfanswm o ddeunaw cyfarfod bob blwyddyn. Yr oedd cynulliad cyntaf pob tymor yn gwrdd clebran, ond yn y gweddill o'r cyfarfodydd darllenid ' papur.' Felly, byddai raid trefnu darllenwyr papurau ar gyfer pymtheg o gyfarfodydd. Gan fod nifer yr aelodau yn rhywbeth llai nag ugain, golygai hyn y byddai pob aelod yn darllen rhyw unwaith bob blwyddyn. Eithriadol iawn fyddai cael papur gan ' siaradwr gwahoddedig ' : disgwylid i bob aelod yn ei dro gymeryd rhan yn y darllen papurau. Yn ystod ei ddwy flynedd yn Rhydychen, darllenodd Parry-Williams ddau bapur i'r Dafydd, un yn nhymor Ilar 1910, a'r llall yn nhymor Ilar 1911. Testun y cyntaf oedd ' Y Delyneg Gymraeg,' ac ynddo rhoddodd i'r Gymdeithas fraslun o rai o'i syniadau am y grefft farddonol—testun a draeth-wyd ganddo flynyddoedd wedyn yn ddosbarthus yn ei lyfr *Elfennau Barddoniaeth* (1935). Pwnc ei ail bapur i'r Dafydd oedd ' Y Gymraeg a'i thynged.' Awgrymwyd y pwnc hwn iddo gan bapur a ddarllenwyd yn y cyfarfod blaenorol, ar y testun ' Tynged y Gymraeg,' gan W. H. Harris (wedi hynny, y Parch. W. H. Harris, athro yn y Gymraeg yng Ngholeg Dewi Sant, Llanbedr). Gwelsai Harris y Gymraeg, ym mro ei febyd, yn cael ei hysgubo ymaith gan Saesneg. Ar sail y profiad hwn, manylodd yn ei bapur ar yr aml beryglon oedd yn bygwth parhad y Gymraeg, gan derfynu gyda'r cwestiwn, ' Beth fydd diwedd hyn oll ? ' Wedi'r papur, bu trafodaeth fywiog a difrifol. Yr oedd pawb yn unfarn y *dylai*'r Gymraeg barhau : cwestiwn y drafod-aeth oedd, a *wnâi* hi. Mater o fesur a chymharu amryfal dueddiadau oedd hyn. A dyna oedd ergyd y papur gan Parry-Williams yng nghyfarfod yr wythnos wedyn. Ceisiai ddangos fod Harris wedi pwysleisio gormod ar y pethau a dueddai i dynnu'r Gymraeg i lawr, a rhy ychydig ar y pethau a dueddai i'w dal i fyny. Yr oedd yr ystyriaeth hon yn ddigon i ailgynnau yn ei holl ddifrifwch y drafodaeth a fu yn y cyfarfod cynt. Ni fûm i, na chynt na chwedyn, mewn cyfarfod o'r Dafydd mwy brwd na'r ddau hyn.

Yn ei dro, bu Parry-Williams yn swyddog yn y Dafydd. Y *cursus honorum* arferol fyddai bod yn Drysorydd, yn Ysgrifennydd ac yn Gaplan, yn y drefn hon, bob yn dymor. Dengys un o'r rhaglenni mai yn nhymor Ilar 1911 y bu ef yn Gaplan. Y mae gennyf atgof clir amdano yn Ysgrifennydd, ond pryd y bu nis gwn : tymor Mihangel 1910 fyddai'r adeg debycaf, hwyrach. Ni wn ychwaith pryd y bu'n Drysorydd. Unig ddyletswydd y Caplan y pryd hynny fyddai darllen cywydd o waith Dafydd ap Gwilym ar ddechrau pob cyfarfod. Cyflawnai Parry-Williams y ddyletswydd hon gydag urddas ac arddeliad. Swydd bennaf yr Ysgrifennydd, wrth gwrs, fyddai cadw'r cofnodion, a'r traddodiad yr adeg honno oedd cadw cofnodion llawn. Cofiaf yn dda fel yr ymddigrifwn i yn y cofnodion a gedwid gan Parry-Williams, nid yn unig am eu hanes doniol o droeon y cyfarfodydd, ond hefyd, ac yn anad dim, am eu harddull—yr un Cymraeg rhywiog, ystwyth, ag y daeth Cymru gyfan i ymhyfrydu ynddo, flynyddoedd wedyn, yn y cyfrolau nodedig o'i ysgrifau.

Trwy gydol yr amser, yn Rhydychen fel yn ' Oedfa'r Pnawn,' bu Parry-Williams ' yn ddiwyd ddiorffwys yn "mynd trwy'i bethau",' hynny ydyw—yn Rhydychen—yn mynd trwy gwrs y B.Litt. Ystyriai ef y dylai ei draethawd ar y ' Geiriau benthyg o'r Saesneg i'r Gymraeg ' fod yn ddwy-ochrog, ac ymwneud â'r ddwy iaith. Felly, manteisiodd ar y cyfle, nid yn unig i ymgynghori â Syr John Rhŷs, ond hefyd i fynychu nifer o ddosbarthiadau ieithyddion enwog Seisnig—megys yr Athro Joseph Wright ar amryfal bynciau ieithyddol ; yr Athro A. S. Napier ar ' Gramadeg Saesneg hanesyddol ' ; a'r seinegydd Henry Sweet ar ' Seineg ' a ' Seiniau'r Hen Saesneg.' Cwblhaodd ei draethawd yn brydlon erbyn dechrau tymor yr Haf 1911. Penodwyd Syr John Rhŷs a'r Athro Edward Anwyl i'w arholi. Bu'r arholiad *viva voce* ar 9 Mehefin. Dyfarnwyd ei draethawd yn deilwng o radd y B.Litt., ac ar y traethawd hwn y seiliwyd ei lyfr, *The English Element in Welsh* a gyhoeddwyd gan Anrhydeddus Gymdeithas y Cymmrodorion yn 1923. Yn fuan wedi ei arholiad *viva voce*, a chyda diwedd tymor yr Haf 1911, cefnodd Parry-Williams ar Rydychen : ' aeth i lawr,' a throdd ei wyneb tua phrifysgol Freiburg yn yr Almaen.

Y tro nesaf y gwelsom ein gilydd oedd ar brynhawn Gwener yn niwedd Awst 1912. Galwodd ef a'i frawd yn fy nghartref ym

Cymdeithas Dafydd ap Gwilym, Rhydychen, Mai 1911

Magillt. Ar feiciau yr oeddynt, ar eu ffordd i Lerpwl i fwrw'r Sul, ond wedi penderfynu mai gwell fyddai gorffen y siwrnai gyda'r trên. Wedi mawr sgwrsio, a chwpanaid o dê, aethant yn eu blaen efo'r trên pump, gan adael y beiciau efo ni. Daethant yn ôl fore Llun er mwyn mynd tuag ochrau Rhuthun i aros gyda pherthynas iddynt yno : a chan fod Rhuthun o fewn cyrraedd Wrecsam, sonient hefyd yr aent i'r Eisteddfod Genedlaethol a gynhelid yn Wrecsam yr wythnos honno. Ar y dydd Mercher, cyhoeddwyd yn yr Eisteddfod mai Parry-Williams oedd y Bardd Coronog. Drannoeth cyhoeddwyd mai efe oedd y Bardd Cadeiriol hefyd. Anaml wrth groesawu cyfaill y ceir cyfle yr un pryd i ' letya Prifardd yn ddiarwybod.'

(ii) ABERYSTWYTH, 1914-19

gan CASSIE DAVIES

Dr. Parry—dyna'i enw arferol gennym ni o leiaf gan ein criw ni yn y Coleg. ' Parry Bach ' ambell waith, nid ar gyfrif maint yr Athro, ond fel term o anwyldeb. Ac yr oedd ei fyfyrwyr oll yn hoff ohono. Yn wir, cystal i mi gyfaddef ar y dechrau fel hyn ei bod hi'n ffasiwn ymhlith merched ei ddosbarthiadau i ffoli ar yr athro ifanc di-briod hwn. Gwybod hynny a barodd i T. Gwynn Jones lunio englyn tynnu-coes wedi i mi aros ar ôl untro i ofyn rhyw gwestiwn i Dr. Parry :

> Trwy ras y cafodd Cassie—chwarter awr,
>   Och o'r tro, gan Barry,
>   Chwanegol, ar ein hôl ni,
>   Ydd oedd gywilydd iddi !
>
> (Kassitalos)

'Roedd enw T. H. Parry-Williams yn hysbys i mi cyn mynd i Goleg Aberystwyth ar gyfrif ei orchest ddigymar yn cipio'r Gadair a'r Goron gyda'i gilydd mewn dwy Eisteddfod Genedlaethol. 'Roedd camp felly yn destun rhyfeddod ac edmygedd. Fe glywswn lawer am ei yrfa a'i ddysg a'i ddawn gan gyd-ysgolheigion o Ysgol Sir Tregaron a aeth i'r Coleg o'm blaen i—

Griffith John Williams, Ambrose Bebb, Tom Hughes Jones a D. Lloyd Jenkins. Sonnid am ei Anrhydedd mewn Cymraeg a Lladin, am ei gyfnod yn Rhydychen gyda Syr John Rhŷs, yna ym Mhrifysgol Freiburg yn yr Almaen gyda Thurneysen, wedyn ym Mharis lle 'roedd Vendryes a Loth, ac oddi yno 'nôl yn ddarlithydd i'r Adran Gymraeg yn 1914, wedi ennill nifer o raddau ar y daith. 'Roedd cefndir mor eang o addysg, a hynny wrth draed rhai o brif ysgolheigion Celtaidd y byd yn rhoi iddo urddas arbennig yn ein golwg ni.

Ond yr hyn a'n denai fwyaf oedd ei bersonoliaeth ef ei hun, ei swildod, ei wyleidd-dra diymhongar, er gwaethaf ei holl lwyth o ysgolheictod. Prin yr edrychai ar neb ohonom yn ei ddosbarth. Edrych ar ei lyfr, ar y bwrdd du, trwy'r ffenest, ar ei draed—i bobman ond arnom ni. Fe daflai ambell gip fach slei tuag atom pan fyddai rhywbeth yn y testun dan sylw wedi ei oglais, megis y cymal o chwedl ' Culhwch ac Olwen ' am Gai a Bedwyr yn eistedd ar gopa Pumlumon ' ar wynt mwyaf yn y byd.' Cyfeiriodd at hyn wedyn yn un o'i ysgrifau. Ychydig a wyddem bryd hynny am y dyfnderoedd o hiwmor oedd yn llechu ym mhlygion ei bersonoliaeth, am yr hwyl a'r direidi a'r ' hogyneiddiwch ' sy'n dal o hyd i'w gadw'n fythol ifanc.

Prin iawn yw'r cof sydd gen i am fy nghwrs Anrhydedd cyntaf yn y Coleg, y cwrs Saesneg. Aeth y cyfan dros fy mhen rywsut, heb gyffwrdd â'm calon na'm dychymyg. Ond am y cwrs Cymraeg, dan hyfforddiant T. Gwynn Jones a T. H. Parry-Williams, fe adawodd hwn argraff arhosol ; fe newidiodd holl gwrs fy mywyd. Agorodd ddrysau ar ryfeddod a gogoniant iaith a llenyddiaeth Cymru, ac am y tro cyntaf fe ddeuthum i ymdeimlo â'm gwreiddiau, â'm traddodiad ac â'm hetifeddiaeth. Darlithiai Gwynn Jones ar Hanes Llenyddiaeth Cymru a Parry-Williams ar amrywiaeth anhygoel o feysydd. Dr. Parry oedd yn ein tywys i ' ddyallu ' tipyn ar y Llyfr Du a'r Hen Gymraeg ; fe a agorodd inni ' Lyfr yr Ancr,' Brut Sieffre, y Pedair Cainc a'r Rhamantau mewn Cymraeg Canol ; fe eto oedd yn ein hyfforddi mewn Hen Wyddeleg, Llydaweg a Chernyweg, ac yn bennaf oll, fe a'n cyfareddodd ni â'r pwnc a elwid bryd hynny yn *Celtic Philology* (Ieitheg Geltaidd yn ddiweddarach). Dyna'r maes mwyaf diddorol o ddigon i mi yn y cwrs cyfan—gweld cyd-gysylltiad aelodau o'r teulu Indo-Ewropeaidd o ieithoedd ac olrhain seiniau

cynnar yr ieithoedd hyn fel y tybid eu bod, gan ddangos eu
datblygiad mewn gwahanol ieithoedd gyda sylw arbennig i'r
ieithoedd Celtaidd. Fe ddeuai synau rhyfedd weithiau o enau'r
darlithydd wrth iddo geisio cyfleu rhai o'r seiniau cynnar i ni !
Praw o'i ddawn fel athro oedd ei allu rhyfeddol i wneud y maes
eang, cymhleth hwn yn drefen olau glir ac yn ddiddordeb byw i
ni. 'Does ryfedd fod ei ysgrifau a'i farddoniaeth yn dangos y
fath ddewiniaeth ar iaith, a'i fod yn ymddifyrru'n gyson mewn
siwglo â geiriau, eu bathu, eu trosi, a chwarae pob campau â
nhw mewn sain a synnwyr a ffurf.

Soniais am apêl ei swildod atom. Ochr yn ochr â hyn, 'roedd
iddo gadernid creigiau Eryri fel yr amlygwyd adeg Rhyfel
1914-18 pan heriodd orfodaeth filwrol. 'Rown i yno ar y pryd,
ac fel eraill o'm cyfoedion yn y Coleg yn medru ymdeimlo peth
â'r hyn y bu raid i'w natur sensitif ei ddioddef ar law pobl
anghydnaws mewn coleg a thref. Tybed a oes cysylltiad rhwng
hyn ag amlder y geiriau ' erlid,' ' erlidiwr ' ac ' erlidiedig ' yn ei
gyfrol gyntaf o ysgrifau ? ' 'Rown i yno ' pan adawodd e'r
Adran Gymraeg yn 1919 a mynd yn ' fresher ' bach i'r Adran
Wyddoniaeth i gychwyn ar gwrs meddygol, pan aeth, chwedl
yntau, 'o ffiloleg i ffiseg' a ' mentro i ganol "anwariaid" ifainc o
fyfyrwyr . . . yn llawn o'r asbri hwnnw sy'n cymryd gwybodaeth
a gwybodusion yn ysgafn.' Fe soniodd mewn ysgrif am ' Y
Flwyddyn Honno ' yn yr Adran Wyddoniaeth fel un ' ogonedd-
us,' ' fawreddog,' ' gynhyrfus,' ' iachawdwriaethol,' a chawn
fynych adlais o'i ddiddordeb byw ym myd gwyddoniaeth mewn
ysgrif a chân. Mawr oedd balchder ei fyfyrwyr Cymraeg wrth
glywed iddo ddod yn ben ar y rhestr mewn tri phwnc yn ei
arholiadau cyntaf ond nid llawenydd oedd gwybod iddo gael ei
dderbyn gydag ysgoloriaeth i ' Bart's ' yn Llundain. Ni fynnem
ei golli o'r Coleg nac o Gymru. Anodd dirnad ein gorfoledd pan
glywsom iddo gael galwad un diwrnod o'i fainc yn y lab i
ymddangos gerbron awdurdodau'r Coleg ac iddo sboncio mewn
un prynhawn o fod yn ' fresher ' i Gadair Gymraeg. A'r flwyddyn
1920 oedd hi pan ail-afaelodd yn ei briod waith er dirfawr fendith
i genedlaethau lawer o fyfyrwyr, i iaith a llenyddiaeth Cymru, ac
i fywyd cyhoeddus y genedl. Fy mraint fawr i oedd cael bod yn
un o'r myfyrwyr yn ei ddosbarth Anrhydedd cyntaf fel Athro.

Cyfnod cyffrous oedd hwn ym mywyd y coleg, cyfnod o ddeffro cenedlaethol ac o greu cenedlatholwyr. Gwelwyd eco o'r ysbryd newydd oedd ar gerdded yn *Y Wawr*, cylchgrawn Cymraeg dan nawdd Cymry Coleg y Brifysgol, Aberystwyth. Cychwynnodd hwn ar ei yrfa yn 1913 a rhwng hynny a'i fachlud sydyn yn 1917, bu Dr. Parry yn cynrychioli'r Hen Fyfyrwyr ar ei fwrdd golygyddol ac yn gyfrannwr cyson iddo mewn ysgrifau, barddoniaeth ac adolygiadau. Tri o Ysgol Sir Tregaron oedd golygyddion y tair cyfrol olaf (os gellir galw un rhifyn 1917 yn gyfrol)—T. Hughes Jones, D. Lloyd Jenkins ac Ambrose Bebb. Fe gefais innau dymor byr ar ei bwyllgor yn y flwyddyn dynged-fennol honno yn hanes y cylchgrawn. Rhwng D. J. Williams a fentrodd ddatgan ynghanol gwallgofrwydd rhyfel fod rhyw werth yn yr Ellmyn, fod cyfiawnder gan y *Sinn Féin* a gwirionedd gan y gwrthwynebwyr cydwybodol (' Y Tri Hyn,' Haf 1916), a'r ysbryd cenedlaethol newydd yn nodiadau golygyddol Ambrose Bebb yn y rhifyn olaf, 'does ryfedd i awdurdodau'r coleg grynu wrth feddwl am y perygl i'r Ymerodraeth Brydeinig. Gwysiwyd y pwyllgor ger eu bron ac fe fachludwyd *Y Wawr*. Wedi'r ddedfryd hon, rhaid oedd cael llun y pwyllgor olaf hwn, i gyd mewn du galarus. Mae'r darlun o'm blaen—Griffith John Williams, Ambrose Bebb, D. Lloyd Jenkins, T. C. Jones, T. G. Thomas, Mable Parry, Annie Owen (Mrs. Seymour Rees), Catherine Thomas (Mrs. Mathias Davies) a minnau. Ond mae 'na un arall—Dr. Parry—a ddaeth gyda'i fyfyrwyr gerbron awdurdodau ei goleg i ddadlau dros i'r *Wawr* gael dal i godi. Byth nid anghofiwn ei deyrngarwch i ni ac i'r cylchgrawn ac i'w egwyddorion ef ei hun ar yr achlysur hwn.

Wedi gadael Aberystwyth a mynd i Goleg Hyfforddi Y Barri, fe gefais gyfle pellach i dderbyn cyfarwyddyd a chyngor gan yr Athro dros gyfnod o dair blynedd. Bu gennym gwrs arbennig yno yn y Gymraeg wedi ei seilio ar amrywiol weithgareddau llafar yn bennaf, a chafwyd tri o ysgolheigion a llenorion pennaf Cymru yn eu tro yn arholwyr allanol i'r cwrs hwn—Ifor Williams, W. J. Gruffydd a T. H. Parry-Williams.

Mae'r cysylltiad achlysurol yn parhau ac fe ddaw cyfle am bwt o sgwrs a hel atgofion gyda Syr Thomas 'nawr ac yn y man. Ar dro, byddaf yn ymweld â'r aelwyd groesawus yn Y Wern ac yn profi o hwyl a diddanwch y gwmnïaeth yno. Ac ni allaf gloi hyn o lith heb dalu fy nheyrnged i Lady Amy, nid yn unig am ei chyfraniad arbennig hi i lenyddiaeth Cymru, ac i wylwyr a gwrandawyr, fawr a bach, drwy gyfrwng radio a theledu, ond hefyd am yr hyn y mae'n ei olygu fel cymar ac ymgeledd gymwys i un o lenorion ac ysgolheigion hoffusaf ein cenedl ni. Eleni ym mlwyddyn eu priodas arian fe ddymunwn i'r ddau flynyddoedd lawer eto o ddedwydd gyd-fyw, cyd-lenydda a chyd-deithio.

(iii) ABERYSTWYTH, 1920-3

gan J. TYSUL JONES

Treuliais y blynyddoedd 1920-23 yn fyfyriwr yn yr Adran Gymraeg dan y Dr. T. H. Parry-Williams a'r Athro T. Gwynn Jones. Gan mai Anrhydedd yn y cwrs iaith a gymerais yn 1923, gyda'r Athro Parry-Williams y treuliais y rhan fwyaf o'r amser, ond nid anghofiaf ddarlithiau'r Athro T. Gwynn Jones ar hanes Llenyddiaeth Gymraeg ac ar waith rhai o'r cywyddwyr, yn enwedig y munudau ysbrydoledig hynny mewn darlith pan anghofiai ei nodiadau a'i ddarlith ysgrifenedig. Dau yn unig oedd â gofal holl waith yr Adran Gymraeg y pryd hwnnw, a darlith-ient yn Saesneg. Wrth edrych yn ôl, sylweddolaf mor galed y gweithiai'r ddau Athro Cymraeg. Yr oedd meysydd yr astud-iaethau, o gwrs y flwyddyn gyntaf hyd gwrs y bedwaredd flwyddyn, yn amrywiol ac yn eang iawn, ac yn ychwanegol cyfarwyddent waith y myfyrwyr ymchwil. Meddylier am adrannau o'r gwaith mor amrywiol â Hen Wyddeleg, Llydaweg a Chernyweg, Ieitheg, Y Mabinogion, y Rhamantau, y Brutiau, barddoniaeth Aneirin, Llywarch Hen a Thaliesin, yr arysgrifau gwahanol, a barddoniaeth y Llyfr Du a'r Llyfr Coch. Rhaid cofio bod hyn yn ôl yn 1920-23 cyn i argraffiadau safonol ar lawer o'r testunau Cymraeg gael eu cyhoeddi gyda rhagymad-roddion a nodiadau manwl—ffrwyth llafur ac ymchwil athrawon a darlithwyr adrannau Cymraeg colegau'r Brifysgol. Y mae gwaith yr adrannau yn ysgafnach rywfaint heddiw oherwydd yr holl waith a gyhoeddwyd ac am fod nifer staff yr adrannau yn lluosocach. Rhyfeddaf hyd heddiw at y feistrolaeth drwyadl ar holl adrannau amrywiol y gwaith oedd gan yr Athro T. H. Parry-Williams, ac at ei ddawn ddiamheuol fel athro. Wrth gymharu fy atgofion ag eiddo rhai o'm cyfoedion yn y Coleg, cefais fod pob un ohonom yn unfarn fod ganddo allu ang-hyffredin i drafod agweddau astrus ac anodd o'r gwaith yn grisial-glir a'u gwneud yn hollol ddealladwy i'r rhai mwyaf araf ohonom. Yr oedd ei drafodaethau yn gynhwysfawr ac eto yn gryno a diwastraff. Dyna'r rheswm pam y llwyddai bron yn ddieithriad i orffen y maes llafur eang yn brydlon ac yn rhyfedd o ddi-ffwdan. Lawer tro, pan ymdriniai â phynciau ymddangos-iadol sych fel Ieitheg, cododd awydd arnaf i guro dwylo mewn cymeradwyaeth o'i ddawn egluro anghyffredin iawn.   O'r braidd y byddai darlith yn mynd heibio na sylwem ar ei hiwmor tawel, slei yn brigo i'r golwg.

Pan fyddai gwahanol awduron yn amrywio yn eu barn a'u damcaniaethau ar ryw bwnc neu'i gilydd, e.e. tarddiad yr englyn neu ffynonellau'r rhamantau, fe roddai'r Athro inni yn ei ddarlith-iau grynodeb manwl gywir a theg o farn neu ddamcaniaeth pob un o'r gwahanol awduron, ond ni wthiai farn unrhyw un ohonynt arnom fel ei ffafr ddamcaniaeth ei hun. Gadawai inni ddewis a phenderfynu drosom ein hunain. Yr oedd boneddig-eiddrwydd yn nodwedd amlwg yn ei berthynas â ni fel myfyr-wyr. Pa le bynnag y cyfarfyddai â ni, y tu mewn i furiau'r Coleg neu ar strydoedd y dref, byddai bob amser yn sicr o'n cyfarch. Cofiaf amdano, â'r bag bach yn ei law, yn cerdded yn fân ac yn fuan tua'r Coleg neu tua'i lety yn North Road—yn y geiriau dan gartŵn a dynnwyd ohono yn y *Dragon*, ' Dr.P.-Williams with less time at his disposal '—ond digon o amser a pharodrwydd bob amser i'n cyfarwyddo ar unrhyw anhawster o'n heiddo, a chymryd diddordeb personol cyfeillgar ynom, fyfyrwyr ei ddosbarthiadau. Ac yr oedd y dosbarthiadau yn rhai cymysg iawn o ran oedran—yr ieuengaf ohonom wedi dod yn syth o'r Ysgolion Sir i'r Coleg, efallai ar ôl blwyddyn o ymarfer dysgu fel disgybl-athrawon rhwng cyfnod yr ysgol a chyfnod y Coleg. Eraill newydd gael eu rhyddhau o wasanaeth amser-rhyfel yn y fyddin neu yn y llynges, ac eraill wedi dilyn goruchwylion gwahanol yn ystod yr un blynyddoedd. Yr oeddynt yn aeddfet-ach eu profiad na'r rhai ieuengaf ohonom. Cofiaf am rai ohonynt

yn siarad yn huawdl a medrus iawn yng nghyfarfodydd cym-
deithasau'r Coleg a mynegi eu barn a'u argyhoeddiadau yn
groyw heb ddim o'r hunan ymwybyddiaeth a'r swildod llethol a
boenai rhai ohonom. Yr oedd eraill ohonynt yn gallu cyfansoddi
yn y mesurau caeth a rhydd, cystadlu yn Eisteddfod y Coleg, a
chyfrannu barddoniaeth i gylchgrawn y Coleg. Yr oedd aeddfed-
rwydd profiad y rhai hŷn yn ddylanwad mawr ar y rhai ifancaf
ohonom, ac yn cyfoethogi patrwm cymdeithas ddiddan dosbarth-
iadau'r atho.

Llydaweg oedd y pwnc arbennig a astudiem yn ein cwrs
Anrhydedd yn 1923 a chawsom ysgoloriaethau teithio yr haf
hwnnw fel y gallem dreulio pythefnos yn Llydaw. Llawlyfr
cyntaf Dr. Henry Lewis ar Lydaweg Canol a ddefnyddiem a
chofiaf yr Athro Parry-Williams yn gwahodd y Dr. Diverres
(oedd ar staff y Llyfrgell Genedlaethol) i roddi peth cymorth inni
mewn Llydaweg Diweddar. Er inni gael llawer o hwyl yn
nosbarthiadau Dr. Diverres, o'r braidd y dysgasom ddigon i
gwrdd â phob gofyn yn ystod y pythefnos a dreuliasom yn
Llydaw. Daeth yr Athro Parry-Williams a'i dad, Mr. Henry
Parry-Williams, gyda ni i Lydaw, a thyfodd perthynas nes a mwy
cyfeillgar nag erioed rhwng yr athro a'i fyfyrwyr. Castell Paol,
Rosco, Montroulez, Kemper, Lesneven, Landerneau, Auray,
Carnac—dyna rai o'r llefydd y buom ynddynt. Cofio cyfarfod â
M. Gourvil ar y trên gerllaw Montroulez ; synnu a rhyfeddu ei
glywed yn siarad Cymraeg mor rhugl ; ei gofio yn siarad ag
Arthur ap Gwynn am gyfieithiad ei dad, T. Gwynn Jones, o
Ffawst, oedd newydd ei gyhoeddi yng *Nghyfres y Werin* y mis
Awst hwnnw. Yn nhref Kemper buom fel cwmni yn ymweled
â'r Parch. Jenkin Jones, brodor o'r Ceinewydd, oedd yn genhadwr
yno, a chael croeso mawr ganddo yn ei gartref. Cofio ein
hymweliad â gŵyl y Bleun-Brug yn Lesneven pan welsom
chwarae-crefyddol o'r enw *Nikolazik*. Teithio i Carnac i weld y
meini-hirion enwog. Ond cefais un prynhawn wrth fy modd
yng nghwmni Mr. Henry Parry-Williams, tad yr Athro. Aethai'r
gweddill o'r cwmni ar daith long ar yr afon Odet o Kemper i
Bont l'Abbé ac arhosais i ar ôl y prynhawn hwnnw gyda Mr.
Parry-Williams. Afraid dweud nad yn Kemper y treuliasom y
prynhawn hwnnw. Euthum innau gydag ef, ' â'm dychymyg
yn drên,' i Ryd-ddu, i ysgol y pentref, i Dŷ'r Ysgol, a gyda'r

mab i Borthmadog i'r ysgol yno . . . A'r blynyddoedd wedi
dyddiau coleg, wrth droi yn aml at waith fy hen Athro a'r
mynych gyfeiriadau a geir ynddo at ' fro ei eni yn Eryri draw,'
daw'r prynhawn bythgofiadwy hwnnw yng nghwmni ei dad
yng Nghemper yn ôl yn fyw iawn i'm cof.

Nid ei hen fyfyrwyr yn unig erbyn hyn a ŵyr am ei ddawn i
ddarllen ac adrodd barddoniaeth.   Yn yr ystafell ddarlithio
Gymraeg y dechreuais i ddotio ar ei ddawn a'i oslef.   Gwledd
oedd gwrando arno'n darllen rhannau helaeth o awdl ' Yr Arwr,'
Hedd Wyn, yn y dosbarth yn ei ddull gwbwl arbennig ei hun.
Clywais ef yn darlithio'n gyhoeddus ar ' Benillion Telyn ' ac ar
rai ' Telynegion Diweddar ' cyn iddo gyhoeddi'r cyfrolau
Hen Benillion ac *Elfennau Barddoniaeth*.   Dyfynnir o adroddiad gan
E. Steve Owen, a ymddangosodd mewn rhifyn o'r *Dragon*, o
ddarlith yr Athro ar ' Delynegion Diweddar ' i'r Gymdeithas
Geltaidd yn Nhachwedd 1922.   Gwelir ei hiwmor tawel, slei
yn pefrio yma eto : ' mae'r delyneg ddwyochrog megis yr
"Ehedydd" yn gofyn cryn fedr,' meddai'r athro, â gwên lond ei
lygad. 'Telynegion serch yw'r rhan fwyaf o'r rhai dau-wynebog
hyn.' Ond ei glywed ef ei hun yn adrodd y soned ' Hon ' ar y
radio tua Chwefror 1949 oedd y profiad mwyaf ysgydwol a
gefais erioed wrth wrando ar adrodd neu ddarllen barddoniaeth
—profiad nas anghofiaf byth.

Aeth tua phedair mlynedd a deugain heibio er pan eisteddwn
wrth draed Syr Thomas Parry-Williams yn yr ystafell ddarlithio
fach, ond parhaf yn ddisgybl iddo o hyd.   Nid oedd ei gerddi, ei
sonedau, a'i rigymau wedi eu cyhoeddi yn 1923.   Daeth blaen-
ffrwyth o'i ysgrifau i'r golwg yn *Y Llenor* yn 1922 gyda chy-
hoeddi ' K.C.16.'   Cyhoeddwyd *Ystraeon Bohemia* yn ystod fy
nhymor yn y Coleg.   Ond erbyn heddiw y mae ar fy silffoedd
gyfrolau lawer o'i waith—ffrwyth llafur yr ysgolhaig a gweled-
igaeth llenor a bardd.   Safant ochr yn ochr â gweithiau ei gyd-
athro, T. Gwynn Jones.   Ymfalchïaf imi gael yr uchel fraint,
trwy aberth fy rhieni a chymorth fy athrawon yn Ysgol Sir
Llandysul, yn arbennig fy hen athro Cymraeg, Mr. John Edwards,
M.A., Llanfihangel Glyn Myfyr yn awr, o fod yn ddisgybl i ddau
o brif lenorion a beirdd ein cenedl.

' Disgybl wyf, ef a'm dysgawdd ' yw profiad pob un ohonom
wrth gofio am flynyddoedd yn ei gwmni a fu'n hyfrydwch pur.

(iv) ABERYSTWYTH, 1923-6

gan E. D. JONES

YCHYDIG iawn a wyddwn i am yr Athro T. H. Parry-Williams
cyn i mi ymaelodi yn ei ddosbarth ym mis Hydref 1923. Nis
gwelswn erioed, na gweled llun ohono. Casglaswn oddi wrth yr
enw anwes cyffredin arno, a glywswn ar dafod hen ddisgyblion
Ysgol Sir Tregaron ar dro o'r Coleg, nad oedd yn fawr o gorff-
olaeth, ond tystiai prospectws y Coleg i'w brafftter academaidd
ac i'w gyraeddiadau ym mhrifysgolion Prydain a'r Cyfandir, a
gwyddwn am orchestion eisteddfodol ei gyfnod cynnar. Darllen-
aswn awdl ' Eryri ' a phryddest ' Y Ddinas,' ond, gan mai
creadur go ryddieithol oeddwn y pryd hwnnw fel yn awr, ni
chefais fawr ddiddanwch ynddynt.   Ni chofiaf i mi ddarllen
' Y Mynydd ' na ' Gerallt Gymro ' na chynt na chwedyn. I mi,
ar y pryd, awdur ysgrifau ' K.C.16,' ' Oedfa'r Pnawn,' a'r ' Pryf
Genwair ' oedd T. H. Parry-Williams. Cawswn gyfle, a ym-
ddangosai i mi ar y pryd yn rhagluniaethol berthnasol, i dynnu
' K.C.16 ' i mewn i'r traethawd Cymraeg yn yr arholiadau am
ysgoloriaeth yn Aberystwyth y mis Medi cynt. Am ryw reswm
neu'i gilydd, ni chododd y pryf genwair, crimpyn, sychlyd, ar y
ffordd fawr i'm hymwybod y diwrnod hwnnw, er y buasai'n
llawn mor berthnasol â'r motor beic. Ni wyddwn i ddim y pryd
hwnnw fod esboniad syml am y cyffyrddiadau anatomegol
hynny a oedd braidd yn annisgwyl yng ngwaith athro Cymraeg.
Cydletywr o fyfyriwr ymchwil mewn helmintholeg a roes i mi'r
esboniad mewn sgwrs yn ystod dyddiau cynta'r tymor.   Beth
bynnag, yr oeddwn wedi cael ysgoloriaeth a hynny'n rhannol
efallai ar gorn y traethawd, wedi cyrraedd y Coleg, ac ar drothwy
cyfnod maith o adnabyddiaeth o'r athro mewn mwy nag un
cyswllt.

Nid ymaelodais yn yr Adran Gymraeg gydag unrhyw rag-
ddisgwyl arbennig o frwd. Gorweddai fy ngwir ddiddordeb
mewn pwnc arall pur wahanol, a chyn mynd i'r Coleg ni fwriad-
aswn i'r Gymraeg fod yn ddim gwell nag eilbeth yn fy nghynllun
arfaethedig. Dylanwad yr ysgol yn Nhregaron a gyfrifai am
hynny. Ni roddid rhyw lawer o bwyslais ar Gymraeg fel pwnc

yn ysgol Tregaron. Ni chredai'r prifathro mewn gwastraffu gormod o amser academaidd gwerthfawr ar bwnc a oedd mor naturiol i ni yng nghanol Ceredigion, y pryd hynny, â'r awyr a anadlem. Yr athro trymaf ei ddylanwad arnaf, fel ar lawer o ddisgyblion Ysgol Sir Tregaron dros gyfnod maith, oedd Samuel Morris Powell, un o'r athrawon Hanes gorau a welodd Sir Aberteifi, er mai Saesneg oedd ei brif bwnc. Hanes, gan hynny, oedd fy nghariad cyntaf i, ac euthum i Aberystwyth yn benderfynol mai mewn Hanes yr arbenigwn, gyda Chymraeg yn bwnc atodol. Gosodasid sêl ar y penderfyniad hwn mewn sgwrs gyda'r Athro Edward Edwards ym mharlwr y Cwrt Mawr, yn Llangeitho, y dydd y cawswn ganlyniadau Arholiad Uchaf y Bwrdd Canol Cymreig. Gan fod y canlyniadau hyn yn caniatáu i mi ddechrau gyda chyrsiau'r ail flwyddyn mewn Hanes a Chymraeg yn y Coleg, trefnwyd y byddwn yn ymuno â dosbarth yr athro'i hun ar Hanes Ewrob er mwyn cymryd gradd Anrhydedd yn y pwnc ar derfyn tair blynedd a dilyn Cymraeg i'r arholiad terfynol ymhen dwy flynedd.

Nid felly y bu. Chwalwyd y cynllun gan y Prifathro J. H. Davies wedi i mi ar ddiwrnod cyntaf y tymor dorri f'enw ar gofrestr y myfyrwyr yn ei ystafell ef. Yr oedd yn naturiol iddo holi am fy nghynllluniau, ac wedi i mi eu dadlennu iddo dywedodd yn bendant iawn 'Peidiwch â bod yn ffôl, fel y mae'r farchnad ar hyn o bryd 'fydd yna ddim o'ch blaen ond dysgu mewn ysgol elfennol os mai Anrhydedd Hanes a gym'rwch chi. Ewch am Anrhydedd yn y Gymraeg, ac fe fydd yna agoriade yn y maes hwnnw yn y man.' Nid oeddwn i wedi rhoi fy mryd ar ddysgu o gwbl, a pheth bynnag, ni fedrwn anwybyddu cyngor y prifathro, o bawb. Gan hynny, pan euthum at fwrdd yr Athro T. H. Parry-Williams i'm cofrestru am y cwrs ail flwyddyn yn Gymraeg yr oeddwn yn barod i awgrymu mai fy mwriad oedd cymryd Anrhydedd yn ei bwnc ef. Er mai honno oedd y sgwrs gyntaf erioed i mi ei chael gydag ef, nid oes gennyf un chwithryn o gof am ei chynnwys. Y brithgo sydd gennyf yw iddo fy nerbyn yn foneddigaidd groesawgar. A dyna ddechrau tair blynedd a roddodd i mi ddiddordeb cynyddol, yn arbennig yn agweddau ieithegol y cwrs. Trylwyredd hyfforddiant yr Athro T. H. Parry-Williams a gyfrifai am hyn.

Galw i gof argraffiadau'r cyfnod hwnnw ar yrfa Syr Thomas Parry-Williams yw'r dasg a ymddiriedwyd i mi. I'r ail do llawn o'i fyfyrwyr y perthynwn i a'm cyfoedion, ond nid yw'n debyg fod ein profiadau ni'n wahanol iawn i eiddo'n rhagflaenwyr. Wrth edrych yn ôl dros y blynyddoedd, yr elfen amlycaf i mi yw'r newid ymddangosiadol yn nelwedd yr Athro wedi'r cyfnod hwnnw—fel y daeth y gŵr a ystyriem ni yn swil ac yn enciliedig i fod yn ŵr cyhoeddus ac yn bwyllgorwr. Nid wyf yn meddwl mai newid yn ei bersonoliaeth ef ei hun a ddigwyddodd, mewn gwirionedd, ond i ni ffurfio barn amdano mewn cyfnod pan oedd pwysau baich gwaith beunyddiol yn ei lethu. Buaswn i'n barod i ddadlau fod Syr Thomas Parry-Williams ar drothwy ei bedwar ugeinmlwydd, mewn rhyw ffordd, yn ieuengach ei ysbryd na'r Athro a adwaenwn i pan oedd ar derfyn ei ddeg-ar-hugeiniau. Nid y bersonoliaeth hoyw-ddiddan y daethom i'w adnabod yn ddiweddarach oedd yr un a wnaeth gymaint o argraff arnaf i mewn ffordd wahanol rhwng 1923 a 1926. Difrif-wch a rhyw bell-oddi-wrthrwydd oedd nodweddion amlycaf yr Athro a gofiaf i. Ychydig iawn a wyddem amdano y tu allan i'r Ystafell Gymraeg. Ni ddatgelai nemor ddim amdano'i hun yn ei ddarlithiau. Nid oedd ganddo'r amser i wamalu na sôn am bethau amherthnasol yn ei ddosbarthiadau. Nid wyf yn cofio iddo gyfeirio o gwbl at ei fordaith yn ystod gwyliau haf 1925 yng nghwrs y darlithiau a roes i'r pedwar ohonom a oedd yn ei ddosbarth anrhydedd y sesiwn ddilynol. Cyhoeddi'r rhigymau hynny yn rhifyn Gwanwyn 1926 *Y Llenor* oedd yr awgrym cyntaf a gawsom am y daith. Yr unig gyfeiriad a gofiaf i ganddo at ei brofiad o deithio gwledydd oedd at brydferthwch merched Llydaw a hacrwch ei hen wragedd. Cododd hynny wrth i ni ddod at y golchwragedd yn stori Yann Postik yn *Danevellou a Vreiz*. Buasid yn disgwyl llawer cyfeiriad cyffelyb gan lenor yr ysgrifau, ond gan nad oedd ond rhyw bump o'r rheini'n wybydd-us i ni yr adeg honno, ni sylwem ni ar y gwahaniaeth.

Yn llygad atgof, rhyw ddau ddarlun clir sydd gennyf o'r Athro Parry-Williams. Mewn un, y mae'n solet rhwng ei ddesg uchel a'i fwrdd du, heb symud fawr mwy na throi, yn ôl y galw, o un i'r llall. Ni fyddai ef yn crwydro'n ddramatig o flaen ei ddosbarth a lledu ei ŵn du yn eryraidd fel y gwnâi ei gyd-athro, Thomas Gwynn Jones. Yn y darlun arall, llithro y mae gyda throed twr uchel porth y Coleg, gan edrych os rhywbeth yn fyrrach ar y cefndir hwnnw nag a wnâi y tu ôl i'w ddesg. Mae'n debyg mai cartŵn a ymddangosodd yn y *Dragon* yn y cyfnod hwnnw a bair i mi weld ei draed yn gwau'n fân ac yn fuan wrth droi'r gornel. Wrth basio, fe dd'wedai fore da'n gwta ond serchog wrth drŵp o'i fyfyrwyr, a fyddai'n loetran yno, cyn diflannu drwy ddrws y porth bwaog, a'i holl osgo'n awgrymu'r prysurdeb a oedd mor nodweddiadol ohono.

Byddai'n anodd i'r rhai na ŵyr am y cyfnod ddirnad maint y baich a oedd ar ysgwyddau'r Athro Parry-Williams yn yr ugeiniau. Hwyrach y bydd rhyw fyfyriwr ymchwil yn sylwi ar y gwahaniaeth yn swm ei gyhoeddiadau yn y deg-ar-hugeiniau o'i gymharu â chynnyrch yr ugeiniau. Yn yr ugeiniau, yr oedd llafur beunyddiol yr ystafell ddarlithio yn gwneud ymchwil academaidd yn gwbl amhosibl iddo. Y mae'n siwr fod arno ddygn angen y fordaith honno yn haf 1925. Y flwyddyn goleg ddilynol yr oedd ganddo dros drigain a deg o fyfyrwyr, mwy o ryw gymaint nag sydd yn yr Adran Gymraeg yn y blynyddoedd hyn. Pedwar ohonom, May Evans (Mrs. May Harries, Rhydaman, yn awr), Nansi Price (Mrs. Glyn Lloyd, Tyddewi, yn awr), Daisy Walters (sydd newydd ymddeol o fod yn athrawes Gymraeg yn Ysgol Howell, Llandaf), a minnau, a gymerai gwrs terfynol Anrhydedd y flwyddyn honno. Ar wahân i ychydig gymorth gan yr Athro T. Gwynn Jones ar hanes llenyddiaeth Gymraeg ac ambell destun arbennig fel y nofel, neu gywyddau Dafydd ap Gwilym, yr Athro T. H. Parry-Williams yn unig a ofalai am waith yr holl adran o ddosbarthiadau'r *Inter* hyd derfyn y cwrs Anrhydedd. Ar ei ysgwyddau ef y disgynnai holl faich hyfforddiant mewn ieitheg Geltaidd, arysgrifau Galeg ac Ogam, glosau, yr Elfen Ladin, elfennau Hen Wyddeleg, Cernyweg, a Llydaweg, gramadeg hanesyddol Cymraeg, testunau gosod mewn Cymraeg, Cernyweg, a Llydaweg, a gweld fod gennym ryw grap ar gyfansoddi rhyddiaith. Cymharol ychydig o draethodau a osodwyd i ni, a phrif gyfrwng y cyfansoddi oedd y cyfieithiadau wythnosol a gaem o ddetholiadau o ryddiaith Saesneg wedi eu dyblygu. Yr wythnos ganlynol, âi'r Athro drwy'r cyfieithiadau gyda chrib fân, gan alw ein sylw at y gwallau a gawsai yn ein hymdrechion. Nid darlithiau yn yr ystyr gyffredin a gaem ganddo, ond esbonio a dehongli manwl drwyadl ar y pynciau a'r testunau gosod. Y pryd hwnnw, nid oedd ond ychydig iawn o destunau wedi eu golygu gyda nodiad-au parod y gellid ein cyfeirio atynt. Nid oedd *Bwletin* Bwrdd y Gwybodau Celtaidd ond yn ei drydedd gyfrol, ac nid oedd *Geirfa Barddoniaeth Gynnar Gymraeg* na *Geiriadur Prifysgol Cymru* wedi cychwyn eu cyhoeddi; felly yr oedd yn rhaid i'r Athro ein tywys gam a cham drwy'r testunau gosod. Nid oedd offer arall iddo'n cyfeirio ato, a dibynnem bron yn llwyr ar y nodiadau a gaem wrth fynd ymlaen.

Saesneg oedd iaith yr esbonio a'r dehongli, er mai i Gymraeg y cyfieithai'r Athro destunau Llydaweg ddiweddar i ni. Ni throes ef i ddarlithio yn Gymraeg am rai blynyddoedd wedi'n cyfnod ni. Yn Saesneg y dechreuodd yr Athro T. Gwynn Jones ddarlithio ar hanes llenyddiaeth Gymraeg i ni yn 1923, ond y mae'r llyfr nodiadau a gedwais yn dangos iddo droi i Gymraeg wrth sôn am farwysgafn Meilyr Brydydd, ac o hynny ymlaen ni chawsom ddim Saesneg ganddo. Canlyniad y drefn hon oedd i ni gael ein hamddifadu o hyfrydwch Cymraeg godidog yr Athro T. H. Parry-Williams yn ystod dyddiau coleg. Ar y pryd, ni welem ddim o'i le yn y drefn, gan i ni gael ein cyflyru i'w derbyn a'i chymryd yn ganiataol. Gwrando ar Syr Thomas yn annerch neu'n trafod pethau ar y radio a'r teledu mewn blynyddoedd diweddarach a barodd i mi ddechrau sylweddoli'r golled a gawsom.

Yr oedd ein hedmygedd o'n hathro yn ddi-ben-draw. Rhyw deimlad o hanner addoliad ydoedd a godai o'n ffydd ynddo fel athro. Ddeng mlynedd wedyn, yn 1937, yr oeddwn yn rhy drwm o dan ddylanwad y teimlad hwn i dderbyn gwahoddiad gan yr Athro W. J. Gruffydd i adolygu *Synfyfyrion* Parry-Williams yn *Y Llenor*. Sut y gallwn i ryfygu beirniadu gwaith yr Athro? Credaf mai ei ymroddiad, ei drylwyredd, a'i gydwybod-olrwydd amlwg a wnaeth yr argraff ddyfnaf arnaf. Cofiaf yn dda i mi deimlo ar derfyn y sesiwn yn 1926, yn union cyn yr arholiadau, fy mod wedi rhedeg cwrs gorffenedig. Y peth tebycaf iddo oedd y teimlad wrth gau llidiard ar gae wedi ei aredig, a'i hau, a'i lyfnu, nad oedd bellach ddim yn aros ond disgwyl wrth y cynhaeaf. A chofiaf am y ddarlith olaf oll. Pan aethom i mewn i'r ystafell yr oedd yr Athro wrthi'n gorffen ysgrifennu darn o ryddiaith Wyddeleg gynnar ar y bwrdd du, y tro cyntaf i ni gael rhyddiaith Wyddeleg o gwbl. Esboniodd y cyfan gyda'i drylwyredd arferol, ond ni thalodd yr un ohonom sylw pellach i'r darn, a'r tro nesaf i ni ei weld oedd ar y papur arholiad. Yr oedd dewis o gwestiynau eraill mewn Gwyddeleg y gwyddwn i fwy amdanynt, ond yr oedd yr Athro wedi mynnu gorffen y cwrs.

Sylweddolem mai gŵr prysur ydoedd, ac ni byddem yn ei boeni gyda chwestiynau heb fod gwir raid. Yn yr achosion hynny, caem gyfarwyddyd sicr a phendant ganddo. Hyd y cofiaf, unwaith yr euthum ato gyda chais. Ar ddechrau fy nhrydedd flwyddyn, yr oedd yr Athro T. Stanley Roberts eisiau i mi gymryd cwrs blwyddyn gyntaf Anrhydedd yn ei faes ef ar Hanes, fel y gallwn gymryd y cwrs Anrhydedd yn fy mhedwaredd flwyddyn. Eglurodd na byddai angen i mi eistedd arholiadau yn ystod y flwyddyn gyntaf honno. Atebais y byddai gofyn i mi ymgynghori â'r Athro Parry-Williams cyn y gallwn ei ateb. Hynny a wneuthum a chael yr ateb pendant mai syniad da ydoedd, ac y byddai'n lles i mi gael tipyn o newid porfa yn ystod y flwyddyn. Fe gymerais Anrhydedd mewn Hanes yn y diwedd, ond y Gymraeg a gafodd y flaenoriaeth.

(v) ABERYSTWYTH, 1932-5

gan GWYNDAF

Fel ymgeisydd am y Weinidogaeth gydag enwad yr Annibynwyr 'doedd gen i, mewn gwirionedd, ddim busnes i ddisgwyl cael mynd am gwrs Prifysgol i Aberystwyth. 'Roedd gan ein Colegau Diwinyddol ni eu trefniadau annibynnol eu hunain. Âi myfyrwyr Aberhonddu i Gaerdydd, myfyrwyr Caerfyrddin i Abertawe, a myfyrwyr Bala-Bangor wrth gwrs i Fangor. Ond yr oeddwn wedi rhoi fy mryd ar fynd i Aberystwyth, a hynny am un rheswm yn unig, i gael bod yn fyfyriwr yn yr adran Iaith a Llenyddiaeth Gymraeg yno dan yr Athro a'r Doethur T. H. Parry-Williams. Bu'r ysgolhaig, y bardd, y llenor, a'r pencampwr eisteddfodol hwn yn eilun ar ein haelwyd ni am flynyddoedd cyn i neb ohonom ei weld, heb sôn am ei

adnabod. Sesiynau bythgofiadwy oedd y rheiny pan fyddai fy
nhad yn ein cadw o gylch y bwrdd i wrando ar gerddi ac ysgrifau
y dewin o Ryd-ddu. Wrth gwrs fe glywem weithiau beirdd a
llenorion eraill yn eu tro, ond awdur ' Y Ferch ar y Cei yn Rio,'
' San Lorenzo,' ' Tŷ'r Ysgol,' ' Llyn y Gadair,' ' Ceiliog Pen-y-
Pàs ' a ' K.C.16 ' oedd ein ffefryn. At hynny yr oedd *Cyfansodd-
iadau a Beirniadaethau*'r Eisteddfod Genedlaethol o ddechrau'r
ganrif ymlaen yn ein tŷ ni, ac yr oeddwn wedi darllen a dysgu
darnau helaeth o'i bryddestau—' Gerallt Gymro ' a'r ' Ddinas,'
a'i awdlau ' Y Mynydd ' ac ' Eryri,' ac, yn fy ffordd fy hun,
wedi gwirioni arnynt. Yr oedd yn rhaid mynd i Aberystwyth.
A thrwy i'r diweddar Barchedig Athro J. Oliver Stephens eiriol
ar fy rhan cefais ganiatâd awdurdodau Coleg Caerfyrddin i
gefnu ar draddodiad arferol y Coleg hwnnw a mynd ple y
mynnwn.

Ym mis Hydref 1932 deuthum i Aberystwyth ac, ymhen rhai
dyddiau, i'r ddarlith Gymraeg gyntaf. Yr oedd tyrfa ohonom,
oll yn ein gynau duon, yn yr ystafell yn disgwyl; yn ddistaw
agorodd drws cafell yr Athro, a chamodd yntau'n gyflym at ei
ddesg, cododd ei ben, gwenodd yn gynnes groesawgar dros ei
sbectol am eiliad a dweud, ' Bore da, foneddigesau a boneddigion,'
ac yna, heb wastraffu cymaint â gair, ymlaen ag ef ar ei union at
drefniadau'r flwyddyn. Gwyddwn o'r munudau cyntaf hynny fy
mod yn mynd i hoffi'r gŵr bach mawr hwn, ei bersonoliaeth
ddeniadol, ei lais gwahanol-i-bawb, a'i draddodi cyfareddol.
Daeth yr awr i ben, a diflannodd yntau mor ddistaw ag y daeth.
Ac megis yn y ddarlith gyntaf honno y bu ar hyd y blynyddoedd
wedyn.

Cerddai yn fân ac yn fuan, a'i fag lledr yn ei law chwith, erbyn
ei ddarlith. Gwelais ef ugeiniau o weithiau yn dod i gyfeiriad y
Coleg a'i getyn yn ei geg, a hwnnw fel pe bai rhyw dân hud yn
ei fowlen yn lled-dynnu'r Athro ar ei ôl. Arhosai criw ohonom
gan amlaf y tu allan i'r fynedfa, ond erioed ni welais mohono'n
mynd heibio i ni heb ein cyfarch. Brasgamai i fyny'r grisiau i
gyfeiriad ei ystafell, arhosai weithiau i edrych i lawr o'r balconi,
ac yna, pe digwyddem fod yn agos, gwelem ef yn diflannu
trwy'r drws du i'w ffau.

Ni welais erioed mohono'n sylwi ar neb yn fwy na'i gilydd yn
y Coleg na thu allan ychwaith ; yn wir yr oedd elfen gref iawn o

gyfiawnder a thegwch yn ei holl ymwneud â ni. Ac er i rai ohonom dreulio blynyddoedd yn fyfyrwyr yn ei Adran ni chlywais ef yn galw'r un ohonom wrth ei enw bedydd tra buom yn Aberystwyth. Yn wir, er mor gyfeillgar oedd ei gyfarchiad, yr oedd rhyw bellter anghyffwrdd rhyngom ag ef yn y blyn-yddoedd hynny. Rhyw gymysgwch o ' ofn ' a ' pharchedig ofn ' o'n tu ni oedd llawer o hyn o bosibl. Yr oedd ei ddylanwad arnom yn aruthrol. Cofiaf gerdded ar y prom yn un o haid ddireidus a digon swniog yn hwyr un noson, ac yn sydyn dyna rybudd gan y mwyaf a'r cryfaf o'r criw, a chanddo fodfeddi'n sbâr dros ei chwe-troedfedd-yn-nhraed-ei-sanau—' Tendiwch, dacw Parry bach yn dod'—a bu distawrwydd mawr. ' Nos da,' meddai ef, ' Nos da, Syr,' meddem ninnau. Yr oedd wedi hen fynd o'n cyrraedd cyn i ni ail-ddechrau codi hwyl. Yr oedd arnom ei ofn . . . a hynny nid oherwydd iddo'n ceryddu erioed nac am i ni glywed iddo geryddu neb arall ychwaith. Ond er na chlywsom amdano'n dweud dim yn gas wrth undyn byw, yr oedd gennym ryw syniad y gellid pechu'n anfaddeuol yn erbyn yr addfwynaf hwn o ddynion.

Yn ei ddarlithiau yr oedd ei ddoethineb yn ddiarhebol. Ni chlywais ef yn ymfflamychu nac yn ymosod yn ffyrnig ar neb na dim. Cyfeiriai'n dra pharchus bob amser at ei gyd-athrawon yng ngwahanol Golegau'r Brifysgol ac at ysgrifenwyr eraill, ac oni ddigwyddai gytuno â hwy, rhyw synhwyro hynny'n unig a wnaem. Fe'i cofir am ei gymedroldeb a'i farn gytbwys yn fwy nag am unrhyw safiad eithafol a wnaeth.

'Doedd dim o'r odrwydd traddodiadol, a gysylltir yn gyffredin â llawer o ddysgodron y colegau, yn perthyn iddo ef, yn ei ymddangosiad allanol, yn ei ddywediadau nac yn ei ymwneud â phobl. Ni welais yr Athro erioed yn amharod mewn darlith, ac ni chrwydrai oddi wrth ei bwnc. At hyn i gyd yr oedd rhyw frwdfrydedd cynnil yn cyniwair trwy ei draddodi ; rhoddai'r argraff ei fod ef ei hun wrth ei fodd gyda'i destun a denai ninnau gydag ef nes peri i'r awr garlamu heibio ; a phynciau astrus fel Ieitheg Gymharol, Llydaweg, Cernyweg a Hen Wyddeleg, a allai fod yn fwrn arnom, yn goleuo i gyd o dan arweiniad y meistr. Pan osodai destun traethawd i ni'n achlysurol ni feiddiai neb beidio â'i roi i mewn ar y dydd penodedig ; ac ni chawsom ein traethodau'n ôl ganddo heb eu cywiro'n fanwl, a nodiadau a chyfeiriadau gwerthfawr yn aml ar ymyl y ddalen ac ar y diwedd. A phwy a anghofia'r darnau hynny a gaem yn wythnosol i'w cyfieithu o'r Saesneg i'r Gymraeg, a phob un ohonynt yn profi i'r eithaf ein gwybodaeth o dechneg cyfieithu, ffurfiau'r ferf a phriod-ddulliau'r iaith ; a neb ohonom yn sylweddoli mor anwybodus oeddem nes ei glywed ef ei hun yn cywiro pob cymal ar ddechrau'r ddarlith ddilynol.

Ychydig a welem ohono ar wahân i'w waith fel pennaeth yr Adran Gymraeg. Anaml y gwelid ef yng nghyfarfodydd y Gymdeithas Geltaidd, ond ni wyddai neb ohonom yn siwr beth oedd y rheswm am hynny. Tybiem weithiau mai ei swildod a'i cadwai o rai o'r cyfarfodydd bohemaidd hyn ; yr oeddem yn casglu dro arall mai ei brysurdeb gyda'i waith a'i llethai. Rhaid cofio mai Mr. D. Gwenallt Jones oedd ei unig gynorthwywr yn y cyfnod hwnnw, ac yr oedd yr adran yn un fawr. Ond fe fyddai ei frawd, Mr. Oscar Parry-Williams, a'i ddiweddar briod gyda ni'n gyson, a theimlai llawer ohonom mai'r gŵr annwyl hwn oedd y cyfryngwr neu'r bont rhyngom fel myfyrwyr a'i frawd—yr Athro. Caem gip arno ar ambell bnawn Mercher yn gwibio heibio yn ei gerbyd—y *Lea Francis* hedfannol hwnnw— ar drywydd rhyw helfa neu'i gilydd, dybiem ni. Clywsem sibrydion y byddai ef a dau gyfaill iddo yn cyhoeddi angau disyfyd i unrhyw betrisen neu gyffylog a feiddiai godi ar adain ym mawnogydd a rhostiroedd Ceredigion, a hwythau yn y cyffiniau.

Ond er fod ei ddiddordeb yn ei fyfyrwyr a'i ofal amdanom yn ein helyntion personol, ym mlynyddoedd ein colega ac ar ôl hynny, yn ddwfn a diffuant, rhyw ' ryfeddod prin ' oedd y dysgawdwr, yr ysgolhaig, y pen-llenor a'r gŵr bonheddig digymar hwn i ni pan oeddem yn fyfyrwyr dano. Ni ddychmygais yn y cyfnod hwnnw y deuwn fyth i'w adnabod fel y deuthum yn y blynyddoedd diwethaf hyn. Y mae'r ' ofn ' wedi mynd, ond y mae'r ' parchedig ofn ' yn aros o hyd.

Yr oeddem ni yn newid llawer gyda'n hychydig flynyddoedd yn Aberystwyth, ond nid oedd ef yn newid dim rywsut. Ac, ar fy ngwir, wedi i ddeng mlynedd ar hugain arall fynd heibio, nid ymddengys Syr Thomas Parry-Williams eto ddiwrnod yn hŷn na phan welais ef y tro cyntaf.

(vi) Aberystwyth, 1949-52

gan ISLWYN JONES

Yr oeddwn i'n fyfyriwr yng Ngholeg Aberystwyth yn ystod tair blynedd olaf Syr Thomas Parry-Williams yno fel Athro Cymraeg, ac yn aelod o'i ddosbarth Anrhydedd olaf hefyd. Felly, cynrychioli'r to olaf o fyfyrwyr a ddysgwyd ganddo wyf i, ac atgofion am yr Athro yn ystod y cyfnod 1949-52 fydd gennyf.

Y tro cyntaf i mi weld Syr Thomas oedd ar ddechrau mis Hydref 1949 pan euthum yn fyfyriwr i Goleg Aberystwyth ac mae'r olwg gyntaf a gefais arno yn glir iawn yn fy meddwl o hyd. Y pryd hwnnw yr oedd gofyn i bob myfyriwr newydd ym-gynghori â nifer o athrawon a darlithwyr y Coleg yn union wedi cofrestru, er mwyn gweld a oedd y cwrs yr hoffai'r myfyriwr ei ddilyn yn un derbyniol gan awdurdodau'r Coleg. Yna wedi bodloni'r gwŷr hyn fod ei gwrs yn un boddhaol câi ganiatâd i fynd i weld penaethiaid yr adrannau yr hoffai gofrestru ynddynt fel myfyriwr. Gan y byddai pawb yn gorfod astudio pedwar pwnc yn ei flwyddyn gyntaf cymerai hyn oll gryn dipyn o amser, ac 'rwy'n meddwl mai sefyll mewn cwt hir o fyfyrwyr yn disgwyl fy nhro y bûm i am y rhan helaethaf o ryw ddau ddiwrn-od. Yna, o'r diwedd, cyrhaeddais yr ystafell Gymraeg i gofrestru yno a chael fy nghip cyntaf ar staff yr Adran ac ar yr ystafell. Yno y tu ôl i'r ford ym mhen blaen yr ystafell yr eisteddai'r athro gyda Gwenallt ar y dde iddo a Mr. (y pryd hynny) Tom Jones a Mr. Garfield Hughes ar y chwith. Yr oedd y desgiau'n fyw o fyfyrwyr ac fel y deuai ei dro âi pawb i eistedd wrth y ford ac yno câi groeso cynnes gan yr Athro a'i staff. Wedi dweud ei enw ac enw ei ysgol ac ateb nifer o fân gwestiynau, fe gâi pob un ryw air bach o galondid gan yr Athro ac fe gyflwynai aelodau eraill ei staff i ni. Yna dodai ei enw ar gerdyn cofrestru pawb a dyna ni bellach yn aelodau swyddogol o'r Adran Gymraeg.

Un ddarlith yr wythnos a gawn gan yr Athro yn ystod fy mlwyddyn gyntaf yn y Coleg—Gramadeg Cymraeg Canol. Yr oedd hwn yn bwnc newydd i ni i gyd, ond rhaid dweud y byddai popeth cyn gliried â'r dydd pan fyddai ef wrthi hi'n darlithio. Cymerai ddigon o bwyll i egluro ac esbonio ac

ysgrifennu ar y bwrdd du'n gyson drwy gydol y darlithiau,
ac yr oedd bob amser yn barod â rhyw sylw bach ffraeth a
diddorol i'n helpu ni ar ein ffordd drwy gymhlethdod byd
gramadeg. Âi'r awr heibio'n gyflym dros ben, ac yna clywem y
frawddeg a'n gollyngai'n rhydd—' Gadawn hi yn y fan yna am
heddiw.'

O'r ddarlith gyntaf a gefais ganddo hyd yr un olaf, yr oeddwn
yn ymwybodol iawn o'r ffaith fy mod yn cael fy nysgu gan
athrylith o athro ac ysgolhaig mawr. Yr oedd yn amlwg ei fod
yn feistr llwyr ar ei bwnc a bod stôr ddihysbydd o wybodaeth
fanwl y tu ôl iddo. Ychydig iawn o nodiadau a ddefnyddiai wrth
ddarlithio, a chaem achos o hyd ac o hyd i ryfeddu at ei wybodaeth
eang a'i gof aruthrol. Gwyddai i'r dim sut i gyflwyno'i ddeunydd
cyfoethog ac amrywiol i ni, ac mae'n amlwg i mi'n awr, o
edrych yn ôl dros fy hen lyfrau nodiadau, iddo ddethol a threfnu
ei ddeunydd yn ofalus dros ben, ac wrth ei gyflwyno i ni fe'i
gwnaeth yn ddiddorol a byw bob amser. Nid rhyw ymarferiad
trymaidd a marw oedd astudio iaith gyda'r Athro T. H. Parry-
Williams, ond profiad gwefreiddiol a byw, ac anadlai fywyd i
esgyrn sychion y geiriau a'r ffurfiau y tynnai ein sylw atynt.

Yn ystod yr ail flwyddyn, ef a ddarlithiai i ni ar Ieitheg Gym-
harol ac yn y darlithiau hyn y gwelem ei ddiddordeb mawr mewn
geiriau. Yn aml iawn fe gymerai hynt ar ôl rhyw air arbennig
gan grwydro'n hamddenol braf ar draws ac ar hyd a'n cymryd
ninnau gydag ef bob cam o'r ffordd. Yr oedd y crwydriadau hyn
wrth fodd ein calon a dysgasom fod ein hathro'n ŵr eithriadol
iawn. Caem hwyl fawr hefyd wrth glywed yr Athro'n ynganu'r
ffurfiau bach damcaniaethol rhyfedd hynny y rhoddid seren
wrthynt yn y llyfrau gramadeg. Ac un peth sydd wedi aros yn
y cof yw'r ddarlith honno pan roes berfformiad gwych iawn i
ni o ddull un o frodorion Llundain o ynganu'r gair Saesneg
' water.' Yr oedd yn werth ei glywed. Yna ar ôl dweud y gair
wrthym ryw dair neu bedair gwaith, gwenai'n gysurus braf
arnom oll a rhyw ddireidi lond ei lygaid. Ni fyddai byth yn
gwastraffu amser yn ei ddarlithiau : dechreuai'n brydlon a
gorffen ar yr amser penodedig yn ddiffael, ond ni fyddai byth
yn rhuthro drwy ddarlith ychwaith. Cadwai'n ddiddordeb yn y
pwnc dan sylw drwy gydol y ddarlith a phrofiad bythgofiadwy
oedd clywed y llais hudolus yn llanw'r ystafell ac yn ein tywys ar

hyd llwybrau astrus ysgolheictod Celtaidd. Ef a gyflwynodd ddirgelion Llydaweg Canol a Chernyweg Canol i ni, ac os oedd y llais yn hudolus wrth lefaru Cymraeg, deuai rhyw fesur ychwanegol o hud iddo pan lefarai'r ieithoedd hyn wrth ddarllen y testunau i ni cyn mynd ati i'w dadelfennu a'u hesbonio.

Yn ystod fy nhrydedd flwyddyn yn y Coleg yr oeddwn yn aelod o'r dosbarth Anrhydedd, ac yn y dosbarth hwn y gwelais wir faint ysgolheictod Syr Thomas Parry -Williams. Yr oedd ei wybodaeth o destunau Cymraeg yn rhyddiaith a barddoniaeth ac o'r iaith Gymraeg ei hun ymhob cyfnod yn aruthrol fawr. Ac nid hynny'n unig, yr oedd yn amlwg ei fod yn ysgolhaig Celtaidd o'r radd flaenaf hefyd. Deuai ei ysgolheictod syfrdanol i'r golwg ymhob darlith ac ni allai neb ohonom lai na sylweddoli ein bod yn gwrando ar ysgolhaig athrylithgar. Pleser digymysg oedd gwrando arno'n darlithio ar yr hen arysgrifau Galeg ac Ogam— câi ddigon o gyfle i grwydro hwnt ac yma ar drywydd amryw o enwau hynod, a phan âi ar ôl un o'r geiriau hyn yr oedd yn wir hyfrydwch i fod yn y dosbarth. Fe fuom yn crwydro'n hir unwaith ar draul y ffurf *brivatiom* a olygai rywbeth fel ' deiliaid y bont' a'n cael ein hunain yn sydyn ar lan afon Dwyryd a'r Athro'n sôn fod yna bont dros yr afon honno a elwir Pont y Briwat, er nad oedd cysylltiad o gwbl rhwng y ddau air. Gallem wrando arno'n siarad fel hyn am oriau oherwydd ysgrifau bach perffaith oedd amryw o'r sylwadau hyn ar ambell hen ffurf.

Yn rhyfedd iawn, ni roddodd yr un traethawd i ni tra bûm i'n fyfyriwr iddo. Ond marciai ein papurau arholiad yn fanwl iawn gan gywiro ein gwallau ac ychwanegu sylwadau a nodiadau hwnt ac yma. A phob amser, â phensil yr ysgrifennai'r sylwadau hyn. Yr oedd buddiannau pob un ohonom yn agos iawn ato a phe digwyddai i rywun fod yn absennol o'r darlithiau oherwydd salwch, fe fyddai'n ein holi ynghylch y myfyriwr hwnnw bob tro y deuai atom i ddarlithio. Teimlem fod pob un ohonom yn bwysig iddo a phan ddigwyddai i ni ei gyfarfod ar y stryd, codai ei het a'n cyfarch yn siriol a boneddigaidd. Yr oedd yn ffefryn mawr gennym, a meddyliem y byd ohono. Byddai pob un ohonom yn siarad yn barchus iawn amdano ond fe gyfeiriem ato ymhlith ein gilydd, fel y gwnaethai cenedlaethu o fyfyrwyr o'n blaen, wrth yr enw ' Parry Bach.' Ond enw llawn o anwyldeb oedd hwnnw. Ac fe fyddem weithiau hefyd, ar oriau mwy cellweirus na'i gilydd, yn cyfeirio ato fel ' Williams o'r Wern.'

Bob blwyddyn, yn ystod tymor yr haf, câi'r dosbarth An-rhydedd wahoddiad i de gydag ef a'i briod yn Y Wern, ac ar wahân i'r arholiadau, hwn oedd digwyddiad mawr y flwyddyn yn yr Adran Gymraeg. Yr oedd pawb yn ei ddillad parch yn mynd tua'r Wern ac wedi cyrraedd yno caem y croeso mwyaf gwresog a the blasus a chartrefol. Yma, yn y tŷ, caem weld dawn fawr yr Athro fel cwmnïwr ac ystorïwr ac y mae'n rhaid cofnodi yma ei fod yn hael iawn â'i sigarennau hefyd—yr oedd yr ystafell yn fwg i gyd gennym ymhell cyn amser ymadael.

Yn yr ystafell ddarlithio arferai alw pawb ohonom wrth ei enw llawn, gan ychwanegu Mr. neu Miss yn ôl y galw o flaen pob enw, ond ar y diwrnod y daeth canlyniadau'r arholiad anrhydedd gollyngodd y Mr. a Miss a'n galw wrth ein henwau bedydd. Wrth iddo ysgwyd llaw â ni y diwrnod hwnnw, yr oedd yn amlwg ei fod yn sylweddoli ac yn teimlo i'r byw mai ni oedd ei fyfyrwyr olaf ac na fyddai'n dod mwyach i'r coleg i lywio'r Adran Gymraeg o ddydd i ddydd ac i ddarlithio i fyfyrwyr. Ni allem adael i'n hathro ymddeol heb i ni ddatgan ein gwerthfawrogiad ohono, ac felly penderfynodd aelodau'r Gymdeithas Geltaidd gynnal cyfarfod i'w anrhegu yn ystod yr Eisteddfod Genedlaethol, a gynhelid y flwyddyn honno yn Aberystwyth. Daeth tyrfa fawr o'i gynfyfyrwyr yno i'w anrhegu a'i anrhydeddu ac i ddymuno'n dda iddo ac yr oedd yn amlwg yn y cyfarfod hwnnw fod gan ei gynfyfyrwyr oll y parch mwyaf tuag ato.

I mi yr oedd Syr Thomas Parry-Williams yn athrylith o athro, yn ysgolhaig mawr ac yn fonheddwr o'r iawn ryw. Yr oedd yn fraint fawr cael bod yn fyfyriwr iddo.

(vii) Sylwadau Personol

gan STEPHEN J. WILLIAMS

Yng nghyfnod fy machgendod yr oedd amryw feirdd yng Nghymru na chlywais i mo'u henwau nes clywed eu bod, yn eu tro, wedi ennill y Gadair neu'r Goron yn yr Eisteddfod Genedlaethol. Un o'r rhain oedd ' Doctor T. H. Parry-Williams,' a gwn mai yn 1912 y bu hynny, canys yn ' Eisteddfod Gwrecsam ' y flwyddyn honno y cyflawnodd orchest ddigyffelyb, hyd hynny, sef ennill y ddwy brif wobr lenyddol yn yr un eisteddfod.

Ar wahân i'r argraff a adawyd arnaf gan y digwyddiad nodedig hwn, yr oedd y flwyddyn honno'n un bwysig iawn i mi am resymau personol. Cofiaf yn dda, gyda llaw, imi sgrifennu'r dydd-o'r-mis yn Rhagfyr, sef ' 12/12/12,' a cheisio dyfalu pa bryd wedi hynny y byddai rhywun yn gallu rhoi'r un ffigurau i ddynodi'r union ddydd a'r mis a'r flwyddyn pan sgrifennai. Braidd yn wefreiddiol oedd meddwl na allai hynny ddigwydd cyn pen cant namyn dwy o flynyddoedd. Tybed a fyddai'n rhaid i'r Eisteddfod Genedlaethol aros cyhyd â hynny cyn gweld cyflawni gorchest debyg i 1912 ? Ond ymhen tair blynedd dyma hynny'n digwydd, a chan yr un gŵr, yn Eisteddfod ohiriedig Bangor yn 1915.

Byddai un o'm brodyr yn prynu cyfrol *Cyfansoddiadau* pob Eisteddfod Genedlaethol, pan ymddangosai honno ymhen hir a hwyr, ac yn y gyfrol a gyhoeddwyd yn 1913 y cefais i gip gyntaf oll ar awdl ' Y Mynydd ' a phryddest ' Gerallt Gymro.' Prin y credaf imi ddeall llawer iawn ar y naill na'r llall, ond yr oeddwn yn ymddiddori'n fawr yn yr awdl am fy mod ar y pryd yn cael pleser mawr o astudio'r cynganeddion dan gyfarwyddyd fy mrawd.

Cofiaf yn dda imi weld llun o fardd y Goron a'r Gadair mewn papur dyddiol yn wythnos yr Eisteddfod yn 1915, ond fe aeth blynyddoedd heibio cyn imi gael golwg ar y gwaith buddugol newydd, awdl ' Eryri ' a phryddest ' Y Ddinas,' ac erbyn hynny'r oeddwn yn aeddfetach fy mhrofiad ac yn gryfach fy neall, gobeithio, a chan ryfeddu'n fawr gellais wir fwynhau ceinder disgrifiadol y naill a beiddgarwch onest y llall.

Bellach yr oeddwn wedi dychwelyd i Goleg y Brifysgol, Caerdydd, ar ôl y rhyfel, a chlywais gan gyfeillion imi a oedd yng Ngholeg y Brifysgol, Aberystwyth, fod Dr. Parry-Williams yn ddarlithydd tra dawnus a phoblogaidd yn yr Adran Gymraeg yno. Clywed wedyn ymhen tipyn ei fod wedi gadael y Gymraeg a throi i astudio meddygaeth, ond ymhen tua blwyddyn daeth y newydd ei fod wedi'i benodi'n Athro Cymraeg yn Aberystwyth.

Yna yn rhifyn cyntaf Y Llenor yn 1922 ymddangosodd yr ysgrif enwog ' K.C.16,' ac yn y rhifyn canlynol ' Oedfa'r Pnawn,' a'r ddwy yn flaenffrwyth y rhyddiaith sy wedi'i ddyrchafu ym marn y genedl efallai mor uchel â dim o'i waith. Dyma deimlo, bellach, fod ei ddarllenwyr yn dechrau cael adnabod y dyn ei hun, wrth iddo, â'i ddawn ryfeddol, beri inni gyfranogi o rai o'i brofiadau a'i deimladau. Ond yng nghanol hyn oll dyma'i ysgolheictod, ar ffurf y gyfrol fawr The English Element in Welsh (1922), yn ymddangos megis i'n rhybuddio mai ' o ran ' yn unig yr adwaenem ei bersonoliaeth gymhleth.

Yn haf 1923 y gwelais i'r Athro Parry-Williams gyntaf yn y cnawd, sef mewn cynhadledd yn y Llyfrgell Genedlaethol. Ni chefais i fawr o gyfle i ymddiddan ag ef yr adeg honno gan na allai, oherwydd gorchwylion eraill, dreulio'r oriau hamdden gyda'r cwmni yn yr hostel. Nid oedd ef yn siaradus iawn yn y cyfarfodydd, ond yr oedd yr hyn a glywais o'i enau'n ddigon imi ymglywed â chyfaredd ei lais.

Nid cyn adeg y Pasg, 1928, y cefais i'r fraint o dreulio oriau bwygilydd yn ei gwmni, yn un o dri. Yr oeddwn yn aros gyda Gwenallt yn ei lety yn Aberystwyth dros ychydig ddyddiau er mwyn mynd i'r Llyfrgell Genedlaethol, ac un noson dyma ni'n mynd ar wahoddiad i ymweld â'r Athro. Yr oedd y croeso'n gynnes a chartrefol. Yng nghanol yr ymgomio difyr—rhyw gymysgedd o ddoniolwch storïol a sôn difrifol am lyfrau—fe droes y siarad at y gyfrol yr oedd Mr. Timothy Lewis newydd ei chyhoeddi, sef Bardd-rin. Gwyddwn mai derbyniad llugoer, ar y gorau, a gawsai syniadau chwyldroadol yr awdur gan bron bawb yn adrannau Cymraeg y Brifysgol, ond yr hyn a wnaeth yr Athro Parry-Williams oedd nid ymosod yn ddiarbed ar ddim o'r syniadau hynny ond dyfynnu darnau megis ar antur o'r llyfr a holi tybed na allai fod rhyw sail, wedi'r cwbl, i ambell honiad a ymddangosai'n anuniongred. Cefais brawf y noson honno o'r hyn a dyfodd yn un o nodweddion amlycaf Syr Thomas erbyn heddiw, sef y ddawn i edrych yn deg ar bob pwnc o bob safbwynt, a chloriannu'n ofalus rhag bod cysgod annhegwch neu duedd yn ei farn derfynol. Achubir hyn rhag troi'n orochelgarwch gan uniondeb ei farn yn y pen draw.

Wedi'r noson gofiadwy honno yn ei gwmni cefais fwy a mwy o gyfle ar hyd y blynyddoedd i ymgydnabod yn bersonol â Syr Thomas (ar wahân i'w waith llenyddol ac ysgolheigaidd). Yn rhinwedd fy swydd yn Abertawe bu cryn dipyn o gyfathrebu o dro i dro rhyngof ac ef, ac fe dyfodd y gyfathrach bersonol drwy ddarlithiau yn y colegau a chyfarfodydd Bwrdd y Gwybodau Celtaidd a mudiadau megis Undeb Cymru Fydd, ac yn arbennig y blynyddoedd diwethaf hyn drwy Gyngor a phwyllgorau'r Eisteddfod Genedlaethol.

Yng nghyfarfodydd y Brifysgol byddai ei gyfraniad bob amser yn graff a sylweddol, er na fyddai byth yn awyddus iawn i siarad ; ac ni fyddai byth yn gwthio'i farn na'i syniadau ar eraill. Gofynnid yn aml iddo yn ei dro ymgymryd â gorchwyl arbennig, megis datgan barn ar weithiau a gynigid i'w cyhoeddi, neu baratoi neu olygu cyfrol i'w chyhoeddi, ac fe wnâi hynny'n ddieithriad gyda thrylwyredd manwl a gofalus. Bu'r un manyldra trefnus yn nodwedd amlwg iawn yn ei feirniadaethau sgrifenedig a llafar yn yr Eisteddfod ar hyd y blynyddoedd.

Yng nghanol y gwaith sychlyd mewn rhai cyfarfodydd ceid ambell sylw ffraeth neu egwyl ddigri. Gallai Syr Thomas fod mor ddigri a doniol â neb, ond ni fyddai gwenwyn na gwawd yn ei arabedd. Mae ei ddawn i adrodd stori mewn cwmnïaeth ddifyr yn un o'i amryfal gampau adnabyddus, ond mae ganddo'r ddawn brin wrth sôn am anffodusion neu droeon trwstan i fod yn dosturiol hyd yn oed yn ei ddigrifwch. Ceir enghraifft o hyn yn ei gân ' Dic Aberdaron.'

Pan ddigwyddai imi sgrifennu ato i ofyn am ei farn ar ryw bwnc neu ar ryw ymgeisydd am swydd, fe gawn ateb cyflawn a manwl yn ddiymdroi. Yn fy mhrofiad i, ni welais neb prydlonach nag ef yn ateb llythyrau er cymaint ei brysurdeb. Tebyg bod amledd ei weithgareddau a'i ddiddordebau yn esbonio i ryw raddau paham y mae cyn lleied o arwyddion heneiddio arno, mewn unrhyw ffordd.

Wrth orffen hyn o deyrnged fer i un o wŷr mwyaf nodedig ein hoes yng Nghymru, hoffwn ddiolch i Syr Thomas am gymwynasau lawer ac am hyfrydwch ei gyfeillgarwch ef a'i briod amryddawn dros gyfnod maith nad yw ei ddiwedd eto, gobeithio, yn y golwg.

(viii) LLYWYDD LLYS YR EISTEDDFOD GENEDLAETHOL

gan CYNAN

Pe baech-chi'n digwydd bod yn *sanctum* Cyngor yr Eisteddfod ryw awr cyn seremoni fawr Croesawu'r Cymry Alltud, odid na ddaliech-chi sylw ar un swyddog sy'n bur dawedog ynghanol ein cyffro a'n dwndwr i gyd, tawedog am ei fod wedi ymneilltuo i un pen o'r ystafell ac yno ymgladdu yn ei gopi o'r rhaglen ac o'i araith. A phe baech-chi'n ddyn dieithr hollol, fe fyddai'n hawdd i chi feddwl mai swyddog newydd, nerfus, yw hwn ac na fu ganddo erioed o'r blaen ran mewn seremoni o lwyfan yr Eisteddfod Genedlaethol. Fe fyddech-chi ymhell iawn oddi wrthi, oherwydd Syr Thomas Parry-Williams ydyw, ac ers blynyddoedd bellach fô sy'n llywyddu'n gyson nid yn unig y seremoni hon ond hefyd y Seremoni Agoriadol a Seremoni'r Fedal Ryddiaith. Ar ben y cyfrifoldeb seremonïol hwn fe fydd hefyd bob blwyddyn bron wedi ei alw i draddodi'r feirniadaeth naill ai yng nghystadleuaeth y Gadair, neu yng nghystadleuaeth y Goron, neu yng nghystadleuaeth y Fedal Ryddiaith. Pe baech-chi wedi cael y fraint, fel finnau, o aros dros yr Eisteddfod bob blwyddyn yn yr un gwesty â'r Llywydd a'i briod siriol, fe fyddech wedi dysgu, er mor heulog a hwyliog eu cymdeithas ar bob awr arall, fod yna un orig dawel gyda'r nos pryd y bydd Syr Thomas wedi ymgolli yn ei feirniadaeth neu ei araith neu ei seremoni ar gyfer y diwrnod dilynol.

Nerfusrwydd ? Nid wyf yn credu mai dyna'r esboniad, heblaw i'r graddau y mae rhyw ias o nerfusrwydd yn rhoi min ar berfformiad pob artist llwyfan sensitif. Yr esboniad yw cydwybodolrwydd—hen air trwsgl ond nid oes yr un arall sy'n ffitio yma. Fel ysgolhaig, fel bardd, fel llenor, ni ollyngodd y gŵr hwn erioed o'i law ddim heb ei gaboli'n raenus a chydwybodol. Yr un yw cyfrinach ei lwyddiant cyhoeddus fel

Llywydd y Llys. Ni chredaf ei fod yn seremonïwr wrth reddf, ond fe feistrolodd y gamp gan fod hynny yn un o ofynion y swydd oruchaf. A'r hyn a ymddengys mor rhwydd a chyfareddol o flaen y gynulleidfa fawr, mewn araith a beirniadaeth a seremoni, ffrwyth ydyw i'r paratoad mwyaf cydwybodol.

Ar bwys fy adnabyddiaeth o'i argoeddiadau cydwybodol dwfn, yn ogystal â'i braffter fel artist ac ysgolhaig, y cefais i yn Eisteddfod Pwllheli 1955 y fraint o'i gynnig i fod yn Llywydd Llys yr Eisteddfod. Fe dderbyniwyd yr enw yn frwdfrydig. Dyma un o'r pethau doethaf a wnaeth y Llys erioed, a thrwy'r blynyddoedd fe gawsom achos i ymhyfrydu fwyfwy yn y dyfarniad. O bryd i bryd fe fu gennym drefniant i newid rhai o'n swyddogion rhagorol eraill, ond am ein Llywydd dymuniad cyson pob eisteddfodwr yw ' O Frenin, bydd fyw byth ! '

Mae Syr Thomas Parry-Williams ers blynyddoedd yn rhan mor hanfodol o ddelwedd yr Eisteddfod fel y byddai'n anodd i'r genhedlaeth ifanc ddychmygu'r uchelwyl hebddo bellach. Eto, fel y mae'n rhyfedd meddwl, ni fu yn eisteddfodwr cyson erioed.

Fe ddechreuodd ymhél â'r Genedlaethol yn ifanc iawn, oherwydd yn Eisteddfod Wrecsam 1912 fe enillodd y Goron am ei bryddest ' Gerallt Gymro ' a'r Gadair am ei awdl ' Y Mynydd.' Yn y blynyddoedd hynny fe fyddai'r Coroni ar ddydd Mercher a'r Cadeirio ar ddydd Iau, ac ni fyddai'r buddugwyr byth yn derbyn llythyr oddi wrth yr ysgrifenyddion, fel y gwnânt heddiw, i'w rhybuddio i fod yn bresennol.

Yn ei gyfrol *Myfyrdodau* mae'r bardd cyntaf erioed i ennill y Goron a'r Gadair yn yr un Eisteddfod wedi croniclo yn ddiddan iawn ei brofiadau yn Eisteddfod Wrecsam. Anfonasai y bryddest a'r awdl i mewn o'r Almaen, pan oedd yn efrydydd yn Freiburg. Heb glywed gair am eu tynged fe aeth ar ei feic, wythnos yr Eisteddfod, o Ryd-ddu i ffarm perthynas iddo ar ffiniau Dyffryn Clwyd ; ac ar fore'r Coroni cychwyn ar ei ddwy olwyn am hanner awr wedi chwech, teithio drwy Ruthun a Bwlch-gwyn, a chyrraedd Wrecsam am hanner awr wedi naw. ' Yna,' meddai, ' mi gefais le i gadw'r beic mewn stabl yn perthyn i dafarn yn nhop y dref, ac wedyn mi lithrais i'r babell ac eistedd yn y pen-draw yng nghanol yr isel-radd a'r pŵr-dabs.'

Pan ddaeth hi o'r diwedd yn amser Coroni yr oedd un o'r beirniaid 'yn traethu'n hir a di feicroffon' ar y llwyfan yn y

pellteroedd. Nid oedd y bardd wedi clywed y ffugenw pan alwyd
ef y tro cyntaf. Ond 'dyma alw croch' wedyn nes bod y lle'n
diasbedain. ' Ac yn sicr i chwi fy ffugenw i ydoedd, ac yr oedd yn
rhaid i minnau gredu fy nghlustiau . . . Yr oedd y peth yn sioc i
bawb yn ogystal ag i mi fy hun.' Ben Davies, Edward Anwyl a
Gwili oedd y beirniaid a chredaf mai Ben Davies a draddodai.

Adroddodd y bardd buddugol wrthyf fwy nag unwaith sut y
bu rhaid i urddasolion yr Orsedd, a anfonwyd i'w gyrchu, ei
godi'n llythrennol dros ben y bar o bren a gaeai'r rhodfa rhwng
seddau'r isel-radd a'r seddau drutach.

' 'Doedd y Cadeirio y diwrnod wedyn ddim cymaint o
syndod i mi,' meddai Syr Thomas wrthyf, ' oherwydd ar derfyn
y Coroni fe'm rhybuddiwyd gan yr ysgrifennydd : "Peidiwch â
mynd adre'. Fe fydd arnom eich eisiau yfory eto". Gan hynny
'doedd dim amdani ond cael llety yn Wrecsam dros nos Fercher,
a throi am Ddyffryn Clwyd ar gefn y beic wedi'r Cadeirio ddydd
Iau.'

Wrth ffarwelio â'r ffarm fach yn Nyffryn Clwyd ar ddiwedd yr
wythnos mae ysgrif Syr Thomas wedi croniclo i ni eiriau olaf yr
hen ewythr : ' Wel, 'machgen i, Gras sy arnat ti eisiau 'rwan,
Gras ! '

Ond y mae'r sgwrs a fu rhwng yr hen ffarmwr bach ar ei
orau, yn y dyddiau di-grant hynny, a Bardd y Gadair nos Iau yn
werth ei rhoddi ar glawr hefyd, er mai yn yr Apocryffa y bu hyd
yma :

' Dywed i mi, Thomas 'machgen i, gest ti rywfaint o arian
efo'r Goron yna ddoe ? '

' Do.'

' Faint ? '

' Ugain Punt.'

' Ugain punt ! Wel ! Wel ! A gest ti rywfaint o arian
ganddyn 'nhw efo'r Gadair yna heddiw ? '

' Do.'

' Faint ? '

' Ugain punt arall.'

' Deugain punt ! Mewn un wythnos ! ! Ac mi gwnest nhw i
gyd ar dy din ! ! ! '

★   ★   ★   ★

Yn Eisteddfod Bangor, Medi 1915, yr ail-wnaethpwyd yr orchest o ennill y Goron a'r Gadair gan yr un bardd, ond nid oedd Syr Thomas yno i'w goroni. Yr oedd yn y cynhaeaf gwair yn Nyffryn Clwyd, a'i dad a'i cynrychiolai yn y seremoni. Ond rhoed telegram yn ei law ar y cae gwair brynhawn Mercher a'i dug i ddal y trên am Fangor ben bore Iau ar gyfer y Cadeirio, ac y mae ganddo o hyd ddarlun o'r seremoni honno—y bardd ifanc yn sefyll wrth y Gadair, a hen gewri eisteddfodol y cyfnod hwnnw o'i gwmpas—Dyfed Yr Archdderwydd, Lloyd George y Llywydd, John Morris-Jones y Beirniad, a Llew Tegid yr Arweinydd.

Sut na ddaethai'r bardd i Fangor i'w goroni y diwrnod cynt ? Wel, ar wahân i'r ystyriaeth nad oedd wedi derbyn yr un gair gan yr ysgrifennydd, mi gredaf fod a wnelai diflastod rywfaint â'r peth. Ar gyfer 1914 y bwriadwyd Eisteddfod Bangor ond oherwydd y Rhyfel fe'i gohiriwyd hyd Fedi 1915. Yr oedd y bardd yn astudio yn y Sorbonne ym Mharis yn ystod gaeaf 1913 ac yno y cyfansoddodd ei awdl ' Eryri.' Erbyn y gwanwyn 1914 yr oedd yn ôl yn Aberystwyth, ac yno y canodd ei bryddest ' Y Ddinas ' gan gywasgu iddi brofiadau bardd o Gymro ym mhrifddinas Ffrainc wrth ddarlunio ei Llafur, ei Chelf, ei Phleser, ei Moeth.

Ond, chwarae teg, oni fyddai dros flwyddyn a hanner o aros am ddyfarniad ar ei waith yn ddigon i godi diflastod ar unrhyw ymgeisydd ?

Efallai fod ystyriaethau eraill hefyd yn gyfrifol am ei absenoldeb o Eisteddfod Bangor ddydd y Coroni. Er enghraifft, wedi oedi blwyddyn cyn cynnal yr Eisteddfod mae'n anodd gennyf gredu nad oedd rhyw achlust allan fod anghydweld ymhlith y beirniaid. Gwili ac Alafon oedd o blaid gwobrwyo, ond fel hyn yr ysgrifennodd Eifion Wyn yn gwbl ddiffuant mewn paragraff sydd mor huawdl â Llyfr Amos, er ei fod ymhell o fod yn feirniadaeth lenyddol :

' Ni thrig dim da yn ei Ddinas. Anobaith sydd yn ei phyrth ac anfoes yn ei phalasau. Chwiliais hi'n fanwl a theml, ni welais ynddi, na ffydd, na chariad, na hawddgarwch . . . Hi yw'r alluocaf a'r huotlaf yn ddiamau; ond ni wna ei darllen les i ben na chalon neb . . . ac am hynny ni fedraf fi ei dyfarnu'n deilwng o urddas Coron Eisteddfod Genedlaethol Cymru.'

Geiriau rhyfedd yw'r rhain heddiw, yn enwedig wedi i chwi ail-ddarllen y bryddest.

Dim mymryn mwy rhyfedd chwaith, na phellach oddi wrth safon arferol beirniadaeth lenyddol, na geiriau fy hen athro John Morris-Jones, mewn un cyfeiriad sbeitlyd ganddo at yr un bardd ifanc wrth ddyfarnu iddo'r Gadair yn yr un Eisteddfod am ei awdl ' Eryri ' : ' Goddefer i mi ddywedyd ar y cychwyn mai rhodres noeth (*affectation*) yw arfer term fel "awdl gromatig"—y llanc yn dangos ei ddysg, fel y dengys ei *gleverness* yn llunio'r ffugenw (Rhuddwyn Llwyd) o'r tri lliw a ddefnyddia.' A wyddai'r beirniad mai yr un oedd ' y llanc ' a ganodd i ' Eryri ' am Gadair Bangor 1915 ag a enillodd Gadair Wrecsam am awdl ' Y Mynydd ' yn 1912 ? Bernwch chwi.

Yn Eisteddfod Corwen 1919 y bu Syr Thomas Parry-Williams yn beirniadu Cystadleuaeth y Gadair am y tro cyntaf a hynny gyda Phedrog, a Phedrog a fynnai mai'r beirniad ifanc a draddodai'r feirniadaeth. Fe wnaeth hynny gan osod safon a phatrwm hollol newydd mewn traddodi.

Er i mi fod yng Nghorwen y prynhawn hwnnw, a phrynu tocyn blaensedd hefyd, mi fethais gael mynediad i mewn i'r pafiliwn gorlawn. Corwen 1919 oedd yr Eisteddfod Genedlaethol gyntaf i minnau gystadlu ynddi, a hynny ar y Soned tan feirniadaeth Syr Thomas. 'Chefais i mo'r wobr ganddo. Rhannu honno a wnaeth rhwng dau fardd ifanc arall—Griffith John Williams a Wyn Williams, Llanwnda. Ond yr oeddwn yn berffaith hapus ei fod wedi gosod soned ' Alastor ' yn un o bedair gyda hwy yn y dosbarth cyntaf, ac wedi dweud yn dda mewn gair amdani. A dyna'r unig dro i mi fod yn cystadlu tano.

Yn ôl yr Adroddiadau Blynyddol, pur fylchog ac ysbeidiol ydyw ei gysylltiadau eisteddfodol dros beth amser wedi hyn, ac nid oes sôn am ei enw ymhlith deuddeg cynrychiolydd hen Gymdeithas yr Eisteddfod a fu gyda deuddeg cynrychiolydd Bwrdd yr Orsedd yn llunio cyfansoddiad y corff llywodraethol newydd—Cyngor yr Eisteddfod. Yn wir, trwy gael ei gyfethol yn aelod o'n Pwyllgor Llenyddiaeth yn 1946 y daeth Syr Thomas i gymryd diddordeb uniongyrchol yn nhrefniadaeth yr Eisteddfod. Hyd hynny mi ddwedswn i fod ei ddau gefnder, Dr. Thomas Parry ac R. Williams Parry, ar y blaen iddo fel eisteddfodwyr cyson. Ond yn 1947 fe etholwyd Syr Thomas Parry-

Williams yn Gadeirydd ein Pwyllgor Llenyddiaeth a Chyhoedd-
iadau, a'r un flwyddyn fe'i hetholwyd am y tro cyntaf yn aelod
o'n Cyngor (neu'n Pwyllgor Gwaith fel y gelwid ef y pryd
hynny).

Wedi rhoddi ei law ar yr aradr, byth nid edrychodd ar y
pethau o'r tu ôl ; ac yn 1955 fe'i hetholwyd yn frwd ac unfrydol
yn Llywydd y Llys fel olynydd teilwng i W. J. Gruffydd a
David Lloyd George.

Wrth gyfeirio at ei ethol yn yr Adroddiad Blynyddol am 1955
fel hyn yr ysgrifennodd Cyd-ysgrifenyddion y Llys :

> Gŵyr Cymru gyfan yn dda am arucheledd ei waith fel
> bardd, fel beirniad, fel llenor, fel ysgolhaig ; gwyddom
> ninnau, ei gyd-aelodau yn y Llys, am ei ymroddiad trylwyr i
> wasanaeth yr Eisteddfod—a bod yr un sglein ar ei gyfraniad fel
> aelod o bwyllgor yn yr ystafelloedd cefn ag yn ei draddodiad o
> feirniadaeth y Gadair o flaen y miloedd.

Heddiw, ar ôl cael deuddeng mlynedd o'i arweiniad fel ein
Llywydd, yr un yw'n tystiolaeth. Ym mhwyllgorau pwysig ' yr
ystafelloedd cefn ' cawsom fantais ei welediad doeth a phwyllog,
a'i adnabod a'i barchu fwyfwy am sefyll fel cadernid Eryri dros
Gymreigrwydd yr Eisteddfod ar bob achlysur. Ac ar lwyfan yr
uchelwyl fe ddangosodd ef a'i hawddgar Lady Amy sut y gellir
estyn croeso cynnes ac urddasol i'r Frenhines ac i Iarll Meirion-
nydd heb gyfaddawdu yr un iod ar Gymreigrwydd y gweithred-
iadau.

Mawr dda i'r ddau, a hyfrydwch gweled parodrwydd y
Cyngor i weithredu ar yr awgrym i roi cyfle inni ddatgan rhyw
gymaint o'n diolch a'n gwerthfawrogiad cynnes mewn Cyfrol
Deyrnged i ŵr a lanwodd ofynion swydd Llywydd y Llys i'w
hymylon.

LLYFRYDDIAETH

Syr THOMAS PARRY-WILLIAMS, M.A., D.LITT. (Cymru), D.LITT. (Rhydychen)
PH.D. (Freiburg), LL.D. (er anrhydedd. Cymru).

gan DAVID JENKINS

1907
' Y Mynach ' (Englyn), *The Dragon*, XXIX, May, 1907, 177.
' Yr Unig ' (Cerdd), *Ibid.*, XXX, Nov., 1907, 18.

1908
' O ! Wynfyd serch, O ! ddolur serch ' (Llinellau o ' Rhiannon,' Pryddest,
   Cadair Eisteddfod y Coleg, 1907), *The Dragon, XXX*, Feb., 1908, 124-5.
' Snowdonia ' (Essay), *Ibid.*, XXX, May, 1908, 228-30.

1909
' Clarach—a lyric,' *The Dragon,* XXXII, Nov., 1909, 3.

1910
' Adgof—soned,' *The Dragon*, XXXII, Feb., 1910, 115.
' Palinode ' (Poem), *Ibid.*, May 1910, 223.
' Y Golled ' (Cerdd), *Ibid.*, XXXIII, Dec., 1910, 13.

1911
' Art and genius ' (Essay), *Grail*, V, 11—12.

1912
' Mynydd ' (Awdl), *Cofnodion a chyfansoddiadau yr Eisteddfod Genedlaethol*
   (Gwrecsam), 44—57.
' Gerallt Gymro ' (Pryddest), *Ibid.*, 69—85.
' Here and there in Welsh poetry,' *Wales*, 609—10, 692.

1913
Some points of similarity in the phonology of Welsh and Breton. Paris : Honore
   Champion.
' Y Frân, yr eos, a'r niwl,' *Y Wawr,* I, 15—17.
' Here and there in Welsh poetry,' *Wales*, 3, 88—90.

1914
' Creithiau ' (Ysgrif) gan ' Cica Trix ' (T.H.P.-W.), *Y Wawr* I, ii, Gwanwyn,
   6-8.
' Gwylio'r gwifrau ' (Ysgrif), *Ibid*, II, 18—20.
' Criafol,' *The Grail*, 8, 24-5.
Adolygiad : *The Tutorial Welsh Course, Parts 1 and 2* (William Davies and
   E. T. Griffiths). *Y Wawr*, II, 36-7.
' Fy iaith ' (Cerdd) yn *Cerddi Ysgol Llanycrwys . . . ynghyda Hanes Plwyf Llan-*
   Llanycrwys gan Dan Jenkins. Llandysul : J. D. Lewis, 1934. 56-7.

1915

'Eryri' (Awdl gromatig), *Cofnodion a chyfansoddiadau yr Eisteddfod Genedlaethol* (Bangor), 14-26.

'Y Ddinas' (Pryddest), *Ibid.*, 51-65.

Adolygiad : *Griffith John, D.D., Arwr China* (H. M. Hughes), *Y Wawr*, II, 80.

'Eiconoclastes' (Ysgrif), *Ibid.*, 81-4.

'Antur llên' (Ysgrif), *Y Traethodydd*, 298-301.

'Y Pagan' (Cerdd), *Y Wawr*, III, 9.

1916

'Sonedau,' *The Dragon*, XXXVIII, Feb., 133.

'The Poetry of W. B. Yeats,' *Ibid.*, March, May, 137-144, and 171-5.

'Christ at Forty' (A literal line for line, un-English translation of the writer's Welsh original), *Ibid.*, May, 225-6.

'The Soiree' (A report on Part I : 'Cyfle'r Ciwrat,' a comedy by J. E. Parry), *Ibid.*, May, 194-5.

'Crist yn ddeugain oed' (Cerdd), *Y Deyrnas*, Rhif 2, Tach., 1916, 9 (Ad-argraffwyd yn *Lleufer*, XIX, Rhif 2, Haf 1963, 67-8).

'Yr Hen Ysfa' (Ysgrif), *Y Wawr*, III, 88-92.

'Dagrau' (Cerdd), *Ibid.*, 108.

Four Poems : 'The body' [and] 'Tears' (Literal translations of the writer's Welsh original) ; 'Thirty-three' ; and 'Response,' *The Dragon*, XXXIX, Dec., 1916, 11-12.

Beirniadaeth : Cyfieithu Caneuon Catullus o'r Lladin i'r Gymraeg. *Cofnodion a chyfansoddiadau Eisteddfod Genedlaethol* (Aberystwyth), 61-3.

1917

'Y Trydydd' (Ysgrif), *Y Wawr*, IV, 41-5.

'Cysur' (Soned), *Ibid.*, 50

'Y Corff' (Cerdd), *Ibid.*, 77.

Adolygiad : The Making of a university (J. M. Mackay), *Ibid.*, 84.

'Ar gyfeiliorn' (Ysgrif), *Ibid.*, 110-7.

'Jerusalem, Jerusalem . . .' (Cerdd), *Y Deyrnas*, Rhif 6, Mawrth, 1917, 1.

'Duw ar Fawrth' (Cerdd), *Ibid.*, Cyf. 2, Rhif 1, Hyd., 1917, 9.

'Christmas, 1916' (Poem), *The Dragon*, March, 109.

'The last drop—a drinking sinking song,' *Ibid.*, 130.

'To a dog,' *Ibid.*, June, 179.

'Christ at Thirty' (Prelude to 'Christ at Forty'), *Ibid.*, Dec., 7-10.

'W. H. Davies—the Super Tramp,' *The Dragon*, XXXIX, March, 89-96, June, 150-7.

1918

'Reasons' (Poem), *The Dragon*, XL, March, 1918, 68.

'The Jokers' (Poem), and 'Sonnets' (2), *The Dragon*, XLI, 24-5.

1919

Beirniadaethau : Awdl ' Y Proffwyd,' 17-34 ; Soned ' Y bedd di-enw,' 89-90 ; Penillion telyn, 99-101. *Cofnodion a chyfansoddiadau Eisteddfod Genedlaethol* (Corwen).

' Dewi Sant,' a ' Cwyn y forwyn ' (Cerddi) yn *Cerddi Ysgol Llanycrwys* . . . gan Dan Jenkins. Llandysul : J. D. Lewis, 1934. 83 a 86.

' I Gi ' (Cerdd), *Y Deyrnas*, Cyf. 3, Rhif 5, Chwef., 1919, 37.

' Islwyn, 1832—1878,' *Welsh Outlook*, 72-4.

' Murder ' (Sonnet), *The Dragon*, XLI, 78.

' Swan—Sonnets ' (Essay), *Ibid.*, 79-80.

1921

Beirniadaethau : Cân hiraeth, 113-4 ; Bugeilgerdd, 124 ; Chwe telyneg, 138 ; Dwy soned i ' Elfyn,' 143 ; Dwy soned i'r ' Parch. Peter Fraser, M.D.', 147-8 ; Cerdd, 150 ; Caneuon byrion, 153-4. *Cofnodion a chyfansoddiadau Eisteddfod Genedlaethol* (Caernarfon), 1921.

Ystoriau Bohemia [Cyfieithwyd o argraffiad Almaeneg], Caerdydd : Educational Publishing Co. *Cyfres, y Werin*, Rhif 6.

' Y Dewin ' [O. M. Edwards] (Soned), *Cymru*, LX, 42.

1922

' An English flexional ending in Welsh,' *Aberystwyth Studies*, IV, 75-83.

' KC16 ' (Ysgrif), *Y Llenor*, I, 7-10.

' Oedfa'r pnawn ' (Ysgrif), *Ibid.*, 203-5.

' Dwy gerdd : Rhapsodi, [a] Palinôd,' *Ibid.*, 219-20.

' Miscellaneous notes on words and constructions,' *The Bulletin of the Board of Celtic Studies*, I, 103-13.

' The Juvencus glosses,' *Ibid.*, 120-3.

1923

The English element in Welsh : a study of English loan-words in Welsh. London : Hon. Soc. of Cymmrodorion (Cymmrodorion Record Series, No. 10).

' Yr Esgyrn ' (Cerdd), ' Y Pryf genwair,' a ' Ceiliog Pen-y-Pass ' (Ysgrifau), *Y Llenor, II*, 1-2, 20-2, a 174-6.

' The Pipes ' (An essay), *The Dragon*, XLV, 169-70.

1924

' Gwybedyn marw ' (Ysgrif), *Y Llenor*, III, 92-3.

1925

' Dagrau,' a ' Duwiau dyn,' yn *Telyn y dydd* (Annie Ffoulkes), 3ydd arg., Caerdydd : W. Lewis.

' Celwydd ' (Cerdd), *Y Llenor*, IV, 7-8.

' Telegraph poles ' (Essay), *The Dragon*, XLVIII, Dec. 1925, 18-20.

1926

' Eryri ' (Awdl), *Awdlau cadeiriol detholedig y ganrif hon*, 1900—1925 (gol. Syr J. Morris-Jones). Cymdeithas yr Eisteddfod Genedlaethol. [Ail argraffiad, 1930].

' Cyfres o rigymau (O ddyddlyfr taith),' *Y Llenor*, V, 5-9.

Cyfres o rigymau o ddyddlyfr taith [Adargraffiad o'r *Llenor*], Wrecsam : Hughes.

Epistol cyntaf Pawl at y Corinthiaid, Cyfieithiad newydd [T.H.P.-W. ac eraill], Wrecsam : Hughes.

' Englynion y clyweit : testun Llyfr Coch Talgarth,' *Bulletin of the Board of Celtic Studies*, III, 9-15.

' Breuddwyd Pawl,' *Ibid.*, 81-9.

' Topsy and Turfy ' (Essay), *The Dragon*, XLVIII, March 1926, 86-9.

1928

Ysgrifau, Llundain : Cwmni Cymraeg Foyle (Adargraffiad 1932 ; ail argraffiad 1943).

' Y Delyneg,' Rhagymadrodd i *Criafol : cyfrol o ganeuon* gan Gwilly Davies a D. Jones, Wrecsam : Hughes.

' The Language of the laws of Hywel Dda,' *Aberystwyth Studies*, X, 129-50.

' Genius loci,' In *The College by the sea* . . . edited by Iwan Morgan (Aberystwyth : U.C.W.), 124-6.

1929

' Detholion o lenyddiaeth Cymru : Yr hen wraig, y ffliwt,' *Cymru'r Plant*, 208-9.

' Darnau ' (Ysgrif), *Y Traethodydd*, 96-100.

' Fragments of English or concerning English from Welsh manuscripts,' in *Britannica—Max Förster zum sechzigsten Geburtstage*, (Leipzig : B. Tauchnitz), 155-63.

' Notes on two Welsh words *Rol* and *Gedrych*,' *Ibid.*, 164-5.

' Y Pryf genwair ' (Ysgrif), *Cymru'r Plant*, 168.

' A Child of dreamland. Plentyn breuddwydion,' Cyf. gan T.H.P.-W., *Llyfr canu newydd*, Rhan I, 10-11, Oxford Univ., and Univ. of Wales Press.

' Mari Morgan, Leezie Lindsay,' Cyfaddasiad gan T.H.P.-W., *Ibid.*, 46-7.

1930

Beirniadaethau : Pryddest ' Cartrefi Cymru ' ; Telyneg ' Ar yr afon ' ; Englyn ' Ias.' Eisteddfod Falmouth Road, Llundain. *Y Brython*, 18 Rhagfyr, 6.

' Y Rheswm ' (Soned), a ' Rhieni ' (Cerdd). *Y Llenor*, IX, 199.

' Adar mân y mynydd. Mountain birds.' Cân werin. English paraphrase by T.H.P.-W., *Llyfr canu newydd*, Part 2. Oxford Univ. Press, 2-3.

' The Keeper. Y Cipar.' Warwickshire Folk Song. Cyf., T.H.P.-W., *Ibid.*, 13-16.

' My shadow. Fy nghysgod,' English words, R. L. Stevenson, Cyf. T.H.P.-W., *Ibid.*, 20-1.

' Sing me a song of a lad that is gone. Cenwch im gân am y llanc nad yw mwy.' Words by R. L. Stevenson, Cyf. T.H.P.-W., *Ibid.*, 34-5.

' Huwcyn cwsg ' (Sandmännchen). Folding time. (Brahms). Cyf. o'r Almaeneg gwreiddiol T.H.P.-W., *Ibid.*, 54-5.

1931

Cerddi : rhigymau a sonedau [Aberystwyth] : Gwasg Aberystwyth.

Carolau Richard White (1537—1584). Golygwyd gan T.H.P.-W., Caerdydd : Gwasg Prifysgol Cymru.

Llawysgrif Richard Morris o gerddi . . . copïwyd a golygwyd gan T.H.P.-W., Caerdydd : Gwasg Prifysgol Cymru.

Beirniadaeth : Awdl ' Breuddwyd y bardd.' *Cofnodion a chyfansoddiadau Eisteddfod Genedlaethol* (Bangor), 38-45.

' Llyn y Gadair,' a ' Moelni ' (Dwy soned), *Y Llenor*, X, 5.

' Trindod ' (Cerdd), *Yr Efrydydd*, VII, 281.

Arise, shine, for thy Light is come. O cod, gwêl, cans dy Wawr a ddaeth (Palestrina). Welsh trans. by T.H.P.-W. York : Banks.

1932

Canu rhydd cynnar, Caerdydd : Gwasg Prifysgol Cymru.

Sonnets (1919-20), Aberystwyth : Pr. Cambrian News. [Cynnwys rhai copïau soned ychwanegol ' Son (A response),' gan ' Father ']. *Privately printed.*

Beirniadaeth : Awdl ' Mam.' Eisteddfod Genedlaethol Aberafan. *Baner ac Amserau Cymru*, 9 Awst, 5 ac 8.

' Ar Chwâl ' (braslun ysgrif), *Y Traethodydd*, 24-7.

' Y Gri-ysgrif,' *Eurgrawn*, 167-70.

' Prynu caneri ' (Ysgrif), *Y Ford Gron*, Mawrth, 105, 122.

' Dewis ' (Ysgrif), *Yr Efrydydd*, 8, Chwef., 113-5.

' Ceinion Conwy,' Cainc werin. Pen. 2, T.H.P.-W., *Llyfr canu newydd*, Part 3, Oxford Univ. Press, 6-9.

' Chwilio tŷ,' Cainc werin, Pen. 2, 3, 4 gan T.H.P.-W., *Ibid.*, 12-13.

' Ym Mhontypridd mae nghariad,' Cainc werin, Pen. 3-6 gan T.H.P.-W. *Ibid.*, 48-9.

1933

Llawysgrif Hendregadredd . . . Golygwyd gan John Morris-Jones a T.H.P.-W. Caerdydd : Gwasg Prifysgol Cymru.

' Dau rigwm : Cynharwch, [a] Dryswch ' ; a ' Hyfrydwch ' (Cerdd), *Y Llenor*, XII, 193.

Beirniadaethau : Pryddest, Baled, Cywydd, a Soned yn Eisteddfod Môn, *Y Brython*, 15 Mehefin, 5.

1934

' San Lorenzo ' (Allan o *Cerddi*), *Beirdd ein Canrif* : detholiad o farddoniaeth i'r
ysgolion, Llyfr I. Gwasg Aberystwyth, 59-60.
' Tŷ'r Ysgol ' (Soned allan o *Cerddi*). *Beirdd ein Canrif* II, Gwasg Aberystwyth,
40.
' Yr Artist ' (O'r bryddest ' Y Ddinas '), *Ibid.*, 56-7.
' Or let the merry bells ring round ' (Adapted from Milton's *L'Allegro*). Neu,
deued swn o'r clychau mân.' Cyf. Cymraeg gan T.H.P.-W. (Handel).,
Oxford Univ. Press and Univ. of Wales Press Board.

1935

Elfennau barddoniaeth, Caerdydd: Gwasg Prifysgol Cymru.
Olion : *ysgrifau a rhigymau*, Aberystwyth : Gwasg Aberystwyth.
' Beirniadaeth lenyddol,' *Yr Efrydydd*, XI, 238-42.
' Llenydda,' *Yr Efrydydd*, 3edd Gyfres, I, 83-7.
If I give thee honour due. Os daw hwyl i swyno mron (Handel). Y geiriau allan o
' L'Allegro ' (John Milton), Cyf. gan T.H.P.-W., Oxford Univ. Press and
University of Wales Press Board for National Council of Music.
' Rhigymau taith (Awst-Medi, 1935),' *Y Llenor*, XIV, 193-7.
' Dau le ' (Ysgrif), *Ibid.*, 213-6.

1936

' Grisial ' (Ysgrif), *Y Llenor*, XV, 16-19.
' Llenydda,' *Yr Efrydydd*, Ionawr, 83-7.
' Moddion gras,' *Y Drysorfa*, 212-4.
' Er cof—Megan Rees ' (Englyn), *The Dragon*, LIX, 17.
Chwech o ganeuon enwog Schubert. Y gerddoriaeth dan olygiaeth David de
Lloyd. Geiriau Cymraeg gan T.H.P.-W. Oxford University Press.
Moonbeams. Pelydr y lloer (Mansel Thomas [Geiriau Saesneg] M. Herbert
George. Cyf. T.H.P.-W. Cardiff : National Council of Music and Uni-
versity of Wales Press.

1937

Pedair cainc y Mabinogi : *chwedlau Cymraeg canol wedi eu diweddaru* . . . Caer-
dydd : Gwasg Prifysgol Cymru [Ail arg., 1947 ; trydydd arg., 1959].
Synfyfyrion : *ysgrifau, rhigymau, sonedau*. Aberystwyth : Gwasg Aberystwyth.
Saith o ganeuon enwog Brahms. Y gerddoriaeth dan olygiaeth David de Lloyd.
Geiriau Cymraeg gan T.H.P.-W. Oxford University Press.
' Barddoniaeth yr emynau ' (Ysgrif a ddarlledwyd 31 Ionawr), *Y Brython*,
11 Chwef., 1937, 5.
Tair Ysgrif : ' Rhobet,' ' Mynwent,' a ' Pen y Bwlch,' *Y Llenor*, XVI, 23-30.
' Ysgraper,' *Y Drysorfa*, 251-3.
Gwelwch pa gyfryw gariad a roes y Tad (Mendelssohn). Cyfieithiad gan
T.H.P.-W. Cardiff : University Council of Music.

1938

Ystoriau heddiw, detholiad gyda rhagymadrodd gan T.H.P.-W. [Aberystwyth] : Y Clwb Llyfrau Cymreig. [Argraffiad newydd 1959].

' Oerddwr ' (Ysgrif), *Y Traethodydd*, 153-6.

' Drws y Coed ' (Ysgrif), *Y Drysorfa*, 154-7.

' Hen Chwareli ' (Ysgrif), *Yr Efrydydd*, 3edd Gyfres, III, 28-32.

' Nefoedd ' (Soned), *Efrydydd*, 3edd Gyfres, IV, 10.

The Apology. Yr ymddiheuriad (Walford Davies), Cyf. gan T.H.P.-W. Cardiff : Univ. Council of Music and Univ. of Wales Press Board.

Dychwelyd (The Return) : *rhan-gân i T.T.B.B.* gan Bryceson Treharne. Geiriau Cymraeg gan T.H.P.-W. The English translation by H. Idris Bell. Llangollen : Gwynn.

1939

Beirniadaeth : Pryddest ' Terfysgoedd daear.' *Barddoniaeth a beirniadaethau Eisteddfod Genedlaethol* 1939 (Dinbych), 46-51.

Beirniadaeth : Ysgrif. *Ibid.*, 177-180.

' Ar hanner ' (Ysgrif), *Drysorfa*, 8-9.

' Bones ' [and] ' Heaven.' Trans. by H. I. Bell from the Welsh of T.H.P.-W. *The Welsh Review*, I, 132-3.

' Dwy soned,' *Y Llenor*, XVIII, 5.

The Night nurse [a sonnet], Typescript : single sheet, n.d. [? 1939].

Awen Aberystwyth 1929—1939 . . Golygydd Thomas Jones. Ynghyda rhagymadrodd gan T.H.P.-W. [Aberystwyth] : Gwasg Aberystwyth.

1940

Hen benillion [Aberystwyth] : Y Clwb Llyfrau Cymreig. (Ail argraffiad, Gwasg Aberystwyth, 1956).

' Diolchgarwch,' a ' Chums ' [Dwy gerdd], *Yr Efrydydd*, VI, Hydref ,5.

' Pen yr yrfa ' (Ysgrif), *Yr Efrydydd*, 3edd Gyfres, V, 8-10.

Beirniadaeth : Soned, ' Pen y bryn,' *Cyfansoddiadau a beirniadaeth Eisteddfod Genedlaethol* (Aberpennar), 125-8.

Beirniadaeth : Stori fer, *Ibid.*, 187-8.

Out of the silence. Draw o'r distawrwydd. For full chorus of mixed voices (Cyril Jenkins). Welsh trans. by T.H.P.-W. London : Chappell.

1941

' Natur ym marddoniaeth Cymru.' *Trans. Hon. Soc. Cymmrodorion*, 87-99.

' Troad y rhod ' (Ysgrif), *Yr Efrydydd*, VI, Mawrth, 12-13.

' Arcus Senilis ' (Ysgrif), *Ibid.*, Mehefin, 13-14.

Beirniadaeth : Awdl ' Hydref.' *Cyfansoddiadau a beirniadaethau Eisteddfod Genedlaethol lenyddol*, 1941, Hen Golwyn, 33-42.

1942

Beirniadaeth : Soned, ' Y Tyrpeg.' *Cyfansoddiadau a beirniadaethau Eisteddfod Genedlaethol*, 1942 (Aberteifi), 54-5.

Lloffion. Pros a mydr, 1937-1942. Aberystwyth : Y Clwb Llyfrau Cymreig.
' Blwyddyn newydd ' (Cerdd), *Y Llenor,* XXI, 108.
' Ceinion Conwy.' Cyfieithwyd i'r Saesneg ar gyfer ' Forces Programme,' y
B.B.C. *Teipysgrif.*

1943
' Hedd Wyn ' (Ysgrif). *Yr Athro,* 16, 36-7.
' Hydref ' (Cerdd), *Y Llenor,* XXII, 53.
' Sante Fe ' (Rhigwm), *Cyfres y Cofion,* Rhif 1, 7). Lerpwl : Gwasg y Brython.
' Lilith ' (Ysgrif), *Y Drysorfa,* 7-9.

1944
Beirniadaeth : Awdl, ' Ofn,' *Cyfansoddiadau a beirniadaethau Eisteddfod Genedl-
aethol,* 1944 (Llandybïe), 18-23.
Beirniadaeth : Traethawd beirniadol, ' Dyfed ' neu ' Eifion Wyn.' *Ibid.,*
110-1.
O'r Pedwar Gwynt [Aberystwyth] : Y Clwb Llyfrau Cymreig.
Ail Epistol Paul at y Corinthiaid (Cyfieithiad newydd gan T.H.P.-W. ac eraill),
Caerdydd : Gwasg Prifysgol Cymru.
' Rhobet ' (Ysgrif), *Cyfres y Cofion,* Rhif 2. Lerpwl : Gwasg y Brython, 19-20.
' Hedd Wyn ' (Ysgrif), *Yr Eurgrawn,* 279-82.

1945
Beirniadaeth : Awdl ' Yr Oes Aur.' *Cyfansoddiadau a beirniadaethau Eisteddfod
Genedlaethol,* 1945 (Rhos Llannerchrugog), 1-8.
Libretto Cymraeg : Faust (Gounod). Opera bum act. Cyfieithiad a chyfaddasiad o
Ffrangeg J. Barbier a M. Carré. Llangollen : Cwmni Gwynn dros Gyngor yr
Eisteddfod Genedlaethol.
You are old Father William (Lewis Carroll) : *'Rwyt yn hen, Dadi Wiliam. Dainty
little maiden* (Tennyson) : *Eneth fechan annwyl.* Music by David de Lloyd.
Welsh translations by T.H.P.-W. Cardiff : University Council of Music and
the Univ. of Wales Press Board.

1946
' Rhagolygon ' (Ysgrif). *Yr Aelwyd,* 165. [Adargraffiad o'r *Glannau*].
Beirniadaeth : Carol haf ar fesur traddodiadol. *Cyfansoddiadau a beirniadaethau
Eisteddfod Genedlaethol,* 1946 (Aberpennar), 84-5.
' Borshiloff ' (Ysgrif), *Y Llenor,* XXV, 51-5.
' Llyncu ' (Ysgrif), *Y Ddolen, chweched llyfr anrheg* (Cyfres y ' Cofion,' Rhif 6),
71-4.

1947
' Welsh poetic diction ' (The Sir John Rhŷs memorial lecture). Read 29
January 1947. *Proceedings of the British Academy,* 1946. London : Oxford
University Press. [Also issued in separate form].
' Chwarter canrif o ddarlledu,' *The Dragon,* 70, 8-10.

'Y Feinir o Sialót.' Cyfieithiad o *The Lady of Shalott* (Tennyson).' (Ar gais un o bwyllgorau Eisteddfod Genedlaethol Rhosllannerchrugog (1945) i ffitio cerddoriaeth Armstrong Gibbs). *Y Llenor*, XXVI, 59-64.

Beirniadaeth : Cân. *Cyfansoddiadau a beirniadaethau Eisteddfod Genedlaethol*, 1947 (Bae Colwyn), 85-9.

'Croes naid,' yn *Y Llinyn arian : i gyfarch Urdd Gobaith Cymru*. Aberystwyth : Arg. Gwasg y Brython.

'Casglu'r hen benillion.' *Allwedd y Tannau*, Rhif 6, 13.

'The Bardic tradition' (Part 4 of a Symposium on 'The Welsh literary tradition'). *The Welsh Review*, VI, 249-53, and 265-8.

1948

Y Bardd yn ei weithdy : ysgyrsiau gyda beirdd. Lerpwl : Gwasg y Brython. *Cyfres Pobun*, Rhif XVI.

Islwyn : detholion o'i farddoniaeth. Caerdydd : Prifysgol Cymru. *Cyfres Llyfrau Deunaw*.

Beirniadaeth : Awdl 'Yr Alltud.' *Cyfansoddiadau a beirniadaethau Eisteddfod Genedlaethol*, 1948 (Penybont-ar-Ogwr), 1-7.

Beirniadaeth : Telynegion. Gwobr goffa Ieuan o Lŷn. *Ibid.*, 90-2.

'Nantybenglog' (Rhigwm). *Y Llenor*, XXVII, 157.

The Bird of Christ. Aderyn Crist (Dilys Elwyn-Edwards). Poem by Fiona Macleod. Welsh translation by T.H.P.-W. Cardiff : Hughes.

1949

Ugain o Gerddi. Aberystwyth : Gwasg Aberystwyth.

Baich Damascus. The burden of Damascus (Granville Bantock). Cyfieithiad Cymraeg gan T.H.P.-W. London : Joseph Williams.

Beirniadaeth : Awdl 'Y Graig.' *Cyfansoddiadau a beirniadaethau Eisteddfod Genedlaethol*, 1949 (Dolgellau), 63-74.

'Y Bardd' [T. Gwynn Jones] (Cerdd). *Y Llenor*, XXVIII, 67.

'Darfod' (Ysgrif), *Y Drysorfa*, 10-12.

'O mor ddedwydd a chytûn. O the pleasure of the plains.' (Allan o 'Acis a Galatea', Handel). Cyfieithwyd ar gyfer Eisteddfod Genedlaethol Caerffili. *Teipysgrif*.

Night in the desert. Nos yn yr anial. For three-part chorus (Cyril Jenkins). Words by Robert Southey. Welsh words by T.H.P.-W. London : Curwen.

Caniadau Isgarn [Richard Davies] : *detholiad gyda rhagymadrodd* gan T.H.P.-W. Aberystwyth : Llyfrgell Genedlaethol Cymru.

'Syr John Rhys,' *Y Fflam*, 8, 15-18.

1950

Cyfieithiad : *Elijah. Elias* (Mendelssohn). Merthyr Tydfil : Arg. H. W. Southey dros Gyngor yr Eisteddfod Genedlaethol.

Dawn of peace. Gwawr heddwch. Chorus for mixed voices. Words and music by Cyril Jenkins. Welsh trans. by T.H.P.-W. London : J. Curwen.

'Ffidlan' (Ysgrif). *Y Llenor*, XXIX, 56-60.

' O mor ddedwydd a chytûn. O the pleasures of the plain ' (Handel : ' Acis and Galatea '). Cyfieithwyd ar gyfer Eisteddfod Genedlaethol Caerffili. *Teipysgrif.*

' Baich Damascus. The Burden of Damascus ' (Bantock). Cyfieithwyd ar gyfer Eisteddfod Genedlaethol Caerffili. *Teipysgrif.*

1951

Beirniadaeth : Pryddest ' Adfeilion ' neu ' Llywelyn Fawr.' *Cyfansoddiadau a beirniadaethau Eisteddfod Genedlaethol*, 1951 (Llanrwst), 68-80.

' 1904 ' (Cerdd), *Y Genhinen*, I, 72.

Cyfieithiad : ' Samson ' [Handel]. *Rhaglen y dydd Eisteddfod Genedlaethol Frenhinol Cymru*, Llanrwst, Awst 1961, 115-26.

The Silver Fleet. Y Llynges wen. Part song for unaccompanied male chorus (Charles Clements). Poem by Longfellow. Welsh translation by T.H.P. -W. Caerdydd : Hughes.

Mawr yw Jehofa. Great is Jehovah (Schubert, arr. for S.A.T.B. by C. Clements). Welsh trans. T.H.P.-W. [Cardiff] : University Council of Music.

Money talks. Sieryd Pres. For male voices . . . by Ian Parrott. [English] words by A. S. J. Tessimond. Welsh translation by T.H.P.-W. London : Elkin.

1952

' Yr Iaith ' o'r gerdd ' Esgyrn y gynnen ' yn y gyfres ' Pryddestau Radio,' Tach. 27, 1951. *Llafar* 1951 (gol. Aneirin Talfan Davies), 82-5. Gwasg Aberystwyth.

' Dychymyg mewn barddoniaeth.' *Efrydiau Athronyddol*, 15, 4-11.

' Rhapsodi ' (Brahms, Op. 55). Cyfieithwyd ar gyfer Cyngerdd yn Eisteddfod Genedlaethol Aberystwyth. *Teipysgrif.*

' Carmen ' (Bizet). Cyfieithwyd a chyfaddaswyd y geiriau gan T.H.P.-W. i Gwmni Opera Cenedlaethol Cymru ar gyfer Eisteddfod Genedlaethol Cymru, Aberystwyth. *Teipysgrif.*

' Rhapsodi ' (Brahms, Op. 55). Cyfieithwyd o Almaeneg Goethe ar gyfer Eisteddfod Genedlaethol Aberystwyth. *Teipysgrif.*

1953

Awdlau cadeiriol detholedig Eisteddfod Genedlaethol Cymru, 1926—1950. (Golygwyd gyda rhagair gan T.H.P.-W.). Dinbych : Arg. Gee.

Beirniadaeth : Pryddest ' Y Llen ' neu ' Y Gaer.' *Cyfansoddiadau a beirniadaethau Eisteddfod Genedlaethol*, 1953, 68-73.

' Memorial to Dafydd ap Gwilym at Strata Florida ' (Anerchiad T.H.P.-W.). *Trans. Hon. Soc. Cymmrodorion*, 1949-51, 38-40.

Ysgrifau yn *Y Bywgraffiadur Cymreig hyd* 1940 (Llundain : Anrhydeddus Gymdeithas y Cymmrodorion) : Syr Edward Anwyl, Lady Charlotte Guest, Henry Salesbury, David Samuel, Eliseus Williams (' Eifion Wyn '), a William Prichard Williams.

' Affinity ' and ' The Return ' (Poems trans. by D. M. Lloyd). *A Book of Wales*, ed. by D. M. and E. M. Lloyd. London : Collins, 271, and 342.

'Cantawd gŵyl. A festival cantata' (Bach a Handel). Cyfieithiad Cymraeg ar gyfer Eisteddfod Genedlaethol y Rhyl. *Teipysgrif.*
'O Rhowch i'r Arglwydd Iôr. Ascribe unto the Lord' (Travers). Deuawd T. a B. Cyfieithwyd y geiriau Cymraeg ar gyfer Eisteddfod Genedlaethol y Rhyl. *Teipysgrif.*
'Iôr, Ein Gwaredwr. Lord our Redeemer' (Bach : St. John's Passion). Cyfieithwyd ar gyfer Eisteddfod Genedlaethol y Rhyl. *Teipysgrif.*

1954

John Rhŷs, 1840—1915. Cardiff : University of Wales Press.
Rhyddiaith Gymraeg. Y gyfrol gyntaf. Detholion o lawysgrifau 1488—1609 [Gol.]. Caerdydd : Gwasg Prifysgol Cymru.
Newydd a hen : detholion o lenyddiaeth Gymraeg ... Gol. T.H.P.-W., ac eraill. Aberystwyth : Urdd Gobaith Cymru.
Cyfansoddiadau a beirniadaethau Eisteddfod Genedlaethol Ystradgynlais, 1954. Golygwyd gan T.H.P.-W.
'Bro' (Cerdd). *Bro,* I, 5.
'Y Bardd buddugol' (Ysgrif : talfyrrwyd o'r *Western Mail*). *Y Crynhoad,* 19, 10-12.
'Nefoedd,' 'I'm hynafiaid,' 'Hon,' 'Hydref' (Cerddi), a 'Dewis' (Ysgrif) *Newydd a hen : detholion o lenyddiaeth Gymraeg.* Aberystwyth : Urdd Gobaith Cymru, 72, 98, 101, 124, 165.
'Dic Aberdaron,' a 'Rhieni.' *Munudau gyda'r beirdd,* gol. Aneirin Talfan Davies. Llandybïe : Llyfrau'r Dryw.
'Rhag fflamiadau llosgedigaeth. Inflammatus et accensus' (Dvorák). Cyfieithwyd ar gyfer Eisteddfod Genedlaethol Pwllheli. *Teipysgrif.*
'Dewch i ddawnsio. Dance duet' (o Hansel a Gretel [Humperdink]). Cyfieithwyd ar gyfer Eisteddfod Genedlaethol Ystradgynlais. *Teipysgrif.*
'Draw o'r distawrwydd. Out of the silence.' Cyfieithiad o eiriau F. Ryan ar gais Cyril Jenkins. *Teipysgrif.*
'*Cân dynged. Song of destiny*' (Brahms). English words by J. C. F. Holderlin. Cyf. T.H.P.-W. Llys yr Eisteddfod Genedlaethol.
'Clod a mawl. Gloria' (Palestrina). Cyfieithwyd ar gyfer Eisteddfod Pwllheli. *Teipysgrif.*
Caneuon beiblaidd. Biblical songs. Llyfr I, Op. 99 (Dvorák). Cyfieithiad i'r Gymraeg gan T.H.P.-W. Llys yr Eisteddfod Genedlaethol.
Bydd barod, o Seion (Prepare thyself, Seion [sic] allan o 'Christmas oratorio' (Bach). Cyfieithiad T.H.P.-W. Llys yr Eisteddfod Genedlaethol.

1955

Beirniadaeth : Y fedal ryddiaith. 'Cyfrol o ryddiaith.' *Cyfansoddiadau a beirniadaethau Eisteddfod Genedlaethol* (Pwllheli), 1955, 136-8.
'Pan oeddwn fachgen.' *Cymru'r Plant,* 379-81.

'Dafydd y Ffatri'; 'Robert'; a 'Jane' (Ysgrifau). *Cymru'r Plant*, 413-5, 445-7, 487-9, a 491.

'Sir Rhŷs : an explorer of antiquity.' *Ceredigion*, 2, 214-24.

'Bu'n athro ysgol ym Môn' [Cipdrem ar hanes Syr John Rhys]. *Môn*, I, 2-9.

When summer's merry days come in. Pan ddelo'r haf a'i dyner hin. Chorus for unaccompanied mixed voices (E. T. Davies). English words by A. J. Perman. Welsh trans. by T.H.P.-W. London : Curwen.

Cyfieithiadau a wnaed ar gyfer Côr Treorci (John Davies) : 'Hwiangerdd y bugeiliaid. Wiegenlied der Hirten'; 'Y mwynaf swn : Der Schönste Klang'; 'Offeren Almaeneg. Deutsche Messe (Schubert)'; 'Canig fach ddawns o Uwch-Swabia. Oberschäbisches Tanzliedchen'; 'Y tri rhosyn bach. Die drei Poselein'; 'Ann Fach o Fangor, Annchen von Tharau'; 'Anffyddlon, Untreue.' *Teipysgrif.*

'Fy ffiol sy lawn. Ich habe genug' (Bach, Cantata 82). Cyfieithwyd ar gyfer y B.B.C. *Teipysgrif.*

'Cân Georgiaidd. Chanson Georgienne.' (Rachmaninoff). Cyfieithwyd ar gyfer Eisteddfod Genedlaethol Pwllheli.

'Clod a mawl. Gloria' (Palestrina). Cyfieithwyd at Eisteddfod Genedlaethol Pwllheli. *Teipysgrif.*

Echo's lament. Cwynfan Echo (S.C.T.B.). Words by Ben Jonson. Welsh words by T.H.P.-W. London : J. Curwen.

Nymphs and shepherds. Nymff a bugail. For unaccompanied voices. Arr. by Cyril Jenkins. [English words by] T. Shadwell. Welsh words by T.H.P.-W. London : J. Curwen.

'Prometheus' (Schubert). Trosiad Cymraeg o gerdd Goethe a wnaed ar gyfer Eisteddfod Genedlaethol Pwllheli.

1956

Beirniadaeth : Awdl. 'Gwraig.' *Cyfansoddiadau a beirniadaethau Eisteddfod Genedlaethol Aberdâr*, 1956, 31-4.

Cyfieithiad : 'Y Meseia' (Handel). *Rhaglen Swyddogol Eisteddfod Genedlaethol Aberdâr*, 174-7.

'Pagan glân' (Ysgrif). *Cylchgrawn Cymdeithas Ceredigion Llundain*, XII, 1956—1957, 6-8.

'Coffâu'r Esgob William Morgan.' *Trans. Hon. Soc. Cymmrodorion*, Session 1955, 18-22.

'Ymfflamychu' (Ysgrif). *Cymru* [*Cymru'r Plant*], LXV, Ionawr, 23-6.

'Arfordir' (Ysgrif). *Ibid.*, Chwefror, 58-9.

'Hedd Wyn' (Sgwrs a ddarlledwyd bymtheng mlynedd yn ôl), *Ibid.*, Mawrth, 104-7.

'Trip' (Ysgrif), *Ibid.*, Ebrill, 136-8.

'Geiriau dieithr,' *Ibid.*, Mai, 178-9, Gorff., 248-9.

'Robert Williams Parry,' *Ibid.*, 214-7.

'Daniel Silvan Evans (1818—1903),' *Yr Haul*, 15, 25-8.

Recit : ' Ehi, capitano ! Hai iti, Capten,' a'r Aria : ' Non piu andrai, Mwy ni chei,' allan o'r opera ' Le Nozze di Figaro ' (Mozart). Cyfieithwyd ar gyfer Llys yr Eisteddfod Genedlaethol. *Teipysgrif.*

' Cân Rusalky i'r lloer. Rusalka's song to the moon ' (Dvorák). Cyfieithwyd ar gyfer Eisteddfod Genedlaethol Aberdâr. *Teipysgrif.*

' Lawened yw fy chwerthin. How jovial is my laughter ' (Allan o Cantata No. 205, J. S. Bach). Cyfieithwyd ar gyfer Eisteddfod Genedlaethol Aberdâr.

' Mawr yw yr Arglwydd. The Almighty ' (Schubert). Cyfieithwyd ar gyfer Eisteddfod Genedlaethol Aberdâr.

Where the bee sucks. Lle bo'r mêl. For unaccompanied mixed voices. Thomas Arne. arr. Cyril Jenkins [English words by] Shakespeare. Welsh words by T.H.P.W. London : J. Curwen.

1957

Myfyrdodau. Aberystwyth : Gwasg Aberystwyth.

Beirniadaeth : Y fedal ryddiaith. ' Casgliad o storïau byrion.' *Cyfansoddiadau a beirniadaethau Eisteddfod Genedlaethol Sir Fôn* (Llangefni), 168-9.

The Black ram. Yr Hwrdd du. Opera by Ian Parrott. Welsh words by T.H.P.-W. London : J. Curwen.

University Carol Book. Welsh words by T.H.P.-W. Welsh edition. Brighton : E. H. Freeman.

Sweet Suffolk owl. Dylluan deg. Song by Dilys Elwyn-Edwards. Words by Thomas Vautor. Welsh trans. by T.H.P.-W. Cardiff : Univ. Council of Music and Univ. of Wales Press.

Raisins and almonds. Rhesin ac almons. S.C.T.B. Old Hebrew cradle song, arr. C. Clements. English words by Margaret Lyell. Welsh words by T.H.P.-W. London : J. Curwen.

Recit. : ' Yr adyn brwnt. Inhuman fiend.'

Aria : ' Tyrd obaith. Come hope, thou one remaining star ' (Allan o ' Fidelio,' Beethoven). Cyfieithwyd ar gyfer Eisteddfod Genedlaethol Sir Fôn.

1958

Ymhél â phrydyddu. Darlledwyd yng ngwasanaeth Cymreig y B.B.C. London : B.B.C.

' Dau nodyn ar eiriau benthyg.' *Bulletin Board Celtic Studies,* XVII, 271-3.

' Ffenomena ffyrdd ' (Ysgrif). *The Dragon,* 80, 56-8.

' Symffoni gorawl (y symudiad olaf). Choral symphony ' (Beethoven). Cyfieithwyd ar gyfer Eisteddfod Genedlaethol Glyn Ebwy. *Teipysgrif.*

' Duw sy'n torri rhyfel. God breaketh the battle ' (O *Judith,* C. H. H. Parry). Cyfieithwyd ar gyfer Eisteddfod Genedlaethol Glyn Ebwy. *Teipysgrif.*

' Arglwydd, Arglwydd. Höchster, Höchster ' (Bach, Cantata 51). Cyfieithwyd ar gyfer Eisteddfod Genedlaethol Glyn Ebwy. *Teipysgrif.*

' Y Lombardiaid. I Lombardi ' (Verdi). Cyfieithiad i'r Gymraeg . . . ar gyfer Cwmni Opera [Cenedlaethol] Cymru i Eisteddfod Genedlaethol Glyn Ebwy. *Teipysgrif.*

Symffoni Gorawl (y symudiad olaf)' (Beethoven). Cyfieithwyd ar gyfer
Eisteddfod Genedlaethol Glyn Ebwy. *Rhaglen y Dydd*, 193.
' Y Lleian ifanc. The young nun ' (Schubert). Cyfieithwyd ar gyfer Eisteddfod
Genedlaethol Glyn Ebwy.
' Cân y Toreador. Toreador's song ' (Bizet). Cyfieithwyd ar gyfer Cyngerdd
Eisteddfod Genedlaethol Glyn Ebwy.

1959
Beirniadaeth : Awdl ' Y Dringwr.' *Cyfansoddiadau a beirniadaethau Eisteddfod
Genedlaethol Caernarfon*, 17-21.
' Words ' (Poem) translated by G.W. in *Presenting Welsh poetry* . . ., ed. Gwyn
Williams. London : Faber, 68.
' Mawl i Dduw. O, so bright ' (Emyn). Cyfieithwyd ar gyfer Detholiad
(M.C.), 1960-1, Llundain. *Teipysgrif.*
Merry Margaret. Mari lawen. Song. Words by John Skelton. Welsh translation
by T.H.P.-W. Cardiff : University Council of Music.

1960
Beirniadaeth : ' Chwech o gerddi mewn tafodiaith.' *Cyfansoddiadau a beirniad-
aethau Eisteddfod Genedlaethol* (Caerdydd), 110-1.
' Ef yr haelaf oll. He the best of all.' (Schumann, Op. 42). Unawd Mezzo-
Soprano. Cyfieithwyd i Lys yr Eisteddfod Genedlaethol.
' Marwolaeth Trenar. The Death of Trenar (from Ossian's poem ' Fingal).'
[Brahms : Trio for female voices]. Cyfieithwyd ar gyfer Eisteddfod
Genedlaethol Caerdydd. *Teipysgrif.*
Serenâd (Strauss, Op. 17, No. 2). ' Tyrd 'nawr, tyrd 'nawr yn dawel, fy mun.'
Cyfieithwyd ar gyfer Eisteddfod Genedlaethol Caerdydd. *Teipysgrif.*
' O fy Fernando ! O mio Fernando ' (Donizetti). Cyfieithwyd ar gyfer
cyngerdd yn Eisteddfod Genedlaethol Caerdydd. *Teipysgrif.*
' Cân yr ysbrydion dros y dyfroedd. Song of the spirits over the waters.
(Schubert, Op. 167). Cyfieithwyd ar gyfer Eisteddfod Genedlaethol
Caerdydd. *Teipysgrif.*
Ffo, druan adyn, ffo. Go, baffled coward, go (Handel). Cyfieithwyd i Lys
yr Eisteddfod Genedlaethol. *Teipysgrif.*
Unigedd y maes. Feldensamkeit (Brahms). Cyfieithwyd i Lys yr Eisteddfod
Genedlaethol. *Teipysgrif.*

1961
Beirniadaeth : Pryddest, ' Ffoadur.' *Cyfansoddiadau a beirniadaethau Eisteddfod
Genedlaethol Dyffryn Maelor* (Y Rhos), 50-4.
' Nodion dyddiadurol.' *Taliesin*, Cyf. 1, 43-8.
' A Festival cantata. Cantawd gŵyl ' (J. S. Bach a G. F. Handel, addaswyd gan
Ernest Read a J. M. Diack). Geiriau Cymraeg gan T.H.P.-W. ar gyfer
Eisteddfod Genedlaethol Dyffryn Maelor (Y Rhos). *Teipysgrif.*
' Y Refali. The Reveille ' (Elgar). I gorau meibion. Cyfieithwyd o Saesneg
Bret Harte ar gyfer Eisteddfod Genedlaethol Dyffryn Maelor. *Teipysgrif.*
' Dy fendith Iôr, O ! dyro'n awr ' [Emyn priodas]. *Y Caniedydd.* Abertawe :
Undeb yr Annibynwyr Cymraeg. 31, Emyn 66.

1962

Y Ddinas. Llandysul : Arg. Gwasg Gomer. *Argraffwyd yn breifat.*

Beirniadaeth : Awdl 'Llef un yn llefain.' *Cyfansoddiadau a beirniadaethau Eisteddfod Genedlaethol Llanelli a'r cylch,* 1-6.

Ring out ye crystal spheres. Deffrowch, blanedau'r nef. For soprano and alto (Robert Smith). Poem by John Milton. Welsh words by T.H.P.-W. University of Wales Press.

' Monolog Borîs. Recitatif et Air de Boris ' (Moussorgsky). Cyfieithwyd at Eisteddfod Genedlaethol Llanelli. *Teipysgrif.*

' Cân fuddugol Walther : Walther's Preisleid ' o *Die Meistersingers von Nürnberg* (Wagner). Cyfieithwyd ar gyfer Cyngerdd yn Eisteddfod Genedlaethol Llanelli. *Teipysgrif.*

' Tŷ'r Ysgol,' 'Dychwelyd,' ' Bro,' ' Gwynt y dwyrain,' ' Dic Aberdaron' a ' Hon,' yn *The Oxford Book of Welsh Verse,* ed. by Thomas Parry. Oxford : Clarendon Press, 451-6.

' Moelni,' 'Bro,' 'Hon,' ' 1904,' ' Dic Aberdaron,' a 'Dychwelyd', yn *Cerddi diweddar Cymru,* gol. H. Meurig Evans. Llyfrau'r Dryw.

1963

' Ymlaen i'r wlad anhysbys. Toward the unknown region ' (Walt Whitman) For choir and orchestra (Vaughan Williams). Cyfieithwyd ar gyfer Eisteddfod Genedlaethol Abertawe. *Teipysgrif.*

' O cod, gwêl, cans dy wawr a ddaeth. Arise shine, for thy light is come ' (Palestrina). Cyfieithwyd ar gyfer Eisteddfod Genedlaethol Llandudno. *Teipysgrif.*

Beirniadaeth : Awdl, ' Genesis.' *Cyfansoddiadau a beirniadaethau Eisteddfod Genedlaethol Llandudno,* 16-22.

' Pendraphendod.' *Y Gwyddonydd,* I, 161-4.

Cyfieithiad : ' Samson ' (Handel). *Rhaglen y dydd, Eisteddfod Genedlaethol Llandudno,* 153-75.

' Dylanwadau ' (Ysgrif), a ' Gweddill ' (Soned). *Enfys,* 60, 4.

' Lincyn-loncyn ' (Ysgrif), *Taliesin,* 6, 5-9.

' Teyrnged i'r diweddar Griffith John Williams.' *Taliesin,* 7, 25-6.

Song in a saloon bar. Cân mewn bar salŵn. Part song for male voices and piano (Ian Parrot). English words by A. S. J. Tessimond. Welsh words by T.H.P.-W. Cardiff : University of Wales Press.

' English-Welsh loan-words ' in *Angles and Britons : O'Donnell lectures.* Cardiff : University of Wales Press, 42-59.

Cyfieithiad : ' Samson ' [Handel]. *Rhaglen y Dydd, Eisteddfod Genedlaethol Frenhinol Cymru,* Llandudno, Awst 1963, 153—175.

1964

Beirniadaeth : Pryddest ' Ffynhonnau.' *Cyfansoddiadau a beirniadaethau Eisteddfod Genedlaethol Abertawe a'r cylch,* 27-33.

' Syr John Cecil-Williams, M.A., LL.D. : teyrnged.' *Trans. Hon. Soc. of Cymmrodorion,* Session 1964, Part 2, 163-4.

' Myfyrio ofn ' (Ysgrif). *Y Drysorfa,* 197-9.

Saint Peter. Sant Pedr. Oratorio (Daniel Jones). Text adapted . . . by the composer, with Welsh trans. by T.H.P.-W. London, Novello [y cyfieithiad hefyd yn *Rhaglen swyddogol Eisteddfod Genedlaethol Maldwyn* (Y Drenewydd) 1965, 155-61.

The Bird of Christ. Aderyn Crist. Poem by Fiona MaCleod. Welsh trans. by T.H.P.-W. Music by Dilys Elwyn-Edwards. Cardiff : Hughes.

Carol : ' Tri theyrn a ddaeth. Three Kings have come.' Cyfieithwyd i'r Athro Ian Parrot. *Teipysgrif.*

' Gretchen wrth y droell nyddu. Gretchen am Spinnrade.' Cyfieithwyd ar gyfer Eisteddfod Genedlaethol Abertawe. *Teipysgrif.*

Saint Peter. Sant Pedr. Oratorio . . . Welsh text by T.H.P.-W. London : Novello.

Will you be as hard ? 'Fyddi di mor gas ? for baritone and piano by Eiluned Davies. Poem by Lady Gregory. Welsh words by T.H.P.-W. Cardiff : University of Wales Press.

1965

' Lleisiau : stribed o nodiadau.' *Barn,* 29, Mawrth, 126-7.

' Insanae et vanae curae. Mae ynfyd a gwag ofalon ' (Haydn). Cyfieithwyd ar gyfer Eisteddfod Genedlaethol Maldwyn (Y Drenewydd). *Teipysgrif.*

' O ! Mae hi'n braf. O Welche Lust (Allan o *Fidelio* Beethoven). Cyfieithwyd at Eisteddfod Genedlaethol Maldwyn (Y Drenewydd). *Teipysgrif.*

Cyfieithiad : ' Sant Pedr ' [Daniel Jones]. Rhaglen swyddogol Eisteddfod Genedlaethol Frenhinol Cymru, Maldwyn ; Awst 1965, 155-61.

1966

Pensynnu. Llandysul : Gwasg Gomer.

Beirniadaeth : Awdl ' Cynhaeaf.' *Cyfansoddiadau a beirniadaethau Eisteddfod Genedlaethol Aberafan a'r cylch,* 1966, 1-12.

Y Goresgynwyr gan David Fraser. Cyfieithiad o ' The Invaders ' gan T.H.P.-W. Caerdydd : Gwasg Prifysgol Cymru.

' Bro ' (Ysgrif). *Barn,* 49, Tach., 5.

' Priddgist ' (Ysgrif), *Y Genhinen,* XVI, 176-8.

Cyfieithiad : ' Elias ' (Mendelssohn). *Rhaglen swyddogol Eisteddfod Genedlaethol Aberafan,* 109-15.

' O dân sy'n anfarwol. O ewiges Feuer ' (J. S. Bach). Cyfieithwyd i Eisteddfod Genedlaethol Aberafan. *Teipysgrif.*

' Mae ynfyd a gwag ofalon. Distracted with care ' (J. Haydn). Cyfieithwyd ar gyfer Eisteddfod Genedlaethol Aberafan. *Teipysgrif.*

' Cân Solveig. Solveig's song ' (Grieg). *Teipysgrif.*

1967

Moliant fo i Dduw Anfeidrol. Glory be to God Almighty ' (Bach). Cyf-
ieithwyd ar gyfer Eisteddfod Genedlaethol y Bala, 1967. *Teipysgrif.*

' O ddirfawr ddirgelwch Iôr. O magnum mysterium ' (Victoria). Cyfieith-
wyd ar gyfer Eisteddfod Genedlaethol y Bala, 1967. *Teipysgrif.*

Glory be to God Almighty. Moliant fo i Dduw Anfeidrol (Bach). Cyf.
gan T.H.P.W. Eist. Gen. y Bala. *Teipysgrif.*

' Solomon ' (Handel). [Choruses only]. Cyfieithwyd ar gyfer Eisteddfod
Genedlaethol y Barri, 1968. *Teipysgrif.*

' Difyr yw gweld. Feasting I watch ' (Elgar). Cyfieithwyd ar gyfer Eisteddfod
Genedlaethol y Barri, 1968. *Teipysgrif.*

Y TANYSGRIFWYR

Richard I. Aaron
J. S. Alban-Davies
Trevor Anthony
G. M. Ashton
Miss Huldah Bassett
Y diweddar Syr Idris Bell
John Bevan
Y Parch. Euros Bowen
Ilene A. Bowen
Miss E. M. Bowen
Mrs. M. Brace
Robert Braid, M.B.E.
Mrs. Rachel Bromwich
Robert Burrell, Q.C.
Y Parch. N. Hughes Cadfan
Mrs. Mari Carter
Y Tra Pharch. H. J. Charles
T. M. Charles-Edwards
Mrs. Nansi R. Collier
Miss Mary Clement
Mrs. Hafina Clwyd-Hawks
Alun Davies
Alun M. T. Davies
Alun Talfan Davies, Q.C.
Alun W. G. Davies
Brynmor Davies
Buddug Lloyd Davies
B. L. Davies
Miss Cassie Davies
Mrs. Catrin Pugh Davies
D. Christy Davies
D. Idris Davies
Y Parch. D. Jacob Davies
Y Parch. D. J. Davies
D. T. Davies
Yr Athro a Mrs. D. J. Llewelfryn
   Davies
D. Seaborne Davies
Ednyfed Hudson Davies, A.S.
Edward Davies
Eic Davies
Elwyn Davies
Misses Evelyn a Edith Davies
Y diweddar E. Glyn Davies, O.B.E.

Y Parch. E. Tegla Davies
E. T. Davies
Glenys Davies
Glyn Davies
Gwyn Tudwal Davies
Huw Davies
H. T. Davies a Miss E. Eunice Davies
J. Alban Davies
J. Clement Davies
Y Parch. J. E. Davies
J. Haydn Davies
J. H. P. Davies
J. Stephen Davies
L. H. Davies
Mansel Davies
Miss M. Eunice Davies
Mrs. M. Gwilym Davies
Miss Neli Davies
O. Ieuan Davies
Mrs. P. M. Davies
Miss Rachel M. Davies
R. R. Davies
Miss Sali A. Davies
Y Parch. T. Alban Davies
T. Gwyn Davies
Thomas G. Davies
T. Glyn Davies
T. Ryan Davies
Theophilus Salmon Davies
W. Beynon Davies
James Defferd
H. G. G. Devonald
Y Parch. Dafydd H. Edwards
Y Parch. Emrys Edwards
E. Ll. Edwards
Miss Glenys Edwards
Syr Goronwy Edwards
Mr. a Mrs. G. D. Edwards
Huw Edwards
Huw T. Edwards
Y Parch. Ifor M. Edwards
John Edwards
Meredith Edwards
O. Wynn Edwards

R. I. Edwards
Richard Tudor Edwards
Trefor Edwards
W. Hubert Edwards
Miss Megan Ellis
T. I. Ellis
Bessie Evans
Clifford Evans
Chris W. Evans
Daniel Evans
D. Ellis Evans
Syr David L. Evans, O.B.E.
Mrs. D. Glenys Evans
D. Gwynallt Evans
David J. Evans
D. J. Elwyn Evans
Ellis Evans
Eric Evans
Ezer Evans
E. Eirwyn Evans
Y Parch. E. Gwyndaf Evans
Geraint Evans
Glyn Evans
Gwynfor Evans, A.S.
G. R. Evans
Hywel I. Evans
Idris Evans
Idwal C. Evans
Ivor Evans
I. G. Evans
Mrs. Jane Evans
John Evans
Mrs. L. C. Evans
Miss Mali Evans
Meredydd Evans
Miss M. Bowen Evans
Mrs. Nia Evans
Oswyn Evans
R. Wallis Evans
S. A. Evans
Y Parch. Trebor Lloyd Evans
Y Parch. William Evans
Dr. William Evans
W. Emrys Evans
W. Harold Evans
Yr Athro Abbé Fr. Falc'hun

I. Ll. Foster
R. L. Gapper
John George
Havard Gregory
C. A. Gresham
Mrs. C. Griffith
Edward H. Griffith
R. E. Griffith
Goronwy ap Griffith
Mrs. Gwladys Anne Griffith
Hugh Griffith
Ll. Wyn Griffith, C.B.E.
O. Percy Griffith
Gwilym Griffith
Miss Ann Griffiths
Y Gwir Anrhydeddus James Griffiths,
    P.C., A.S.
Miss L. Malltwen Griffiths
Rhys Lewis Griffiths
Tawe Griffiths
T. Elwyn Griffiths
Miss Wendy Griffiths
Y Parch. W. J. Griffiths
Ceridwen Gruffydd
June Gruffydd
R. H. Gruffydd
W. T. Gruffydd
D. T. Guy
A. ap Gwynn
Emrys T. Harcombe
Alwyn Harris
Mrs. N. Harris-Jones
Gwilym M. Harries
Hywel Harries
Mrs. Myra Harries
N. B. Harries
W. Gerallt Harries
T. G. G. Herbert
Llewellyn Heycock, C.B.E., D.L.
Lancelot Hogben
Mrs. Elsie Hooson
Miss Winifred Hopkins
Lyn Howell
Mrs. Myfanwy Howell, C.B.E.
Miss O. G. Howell
Cenydd I. Howells

Iorwerth Howells
Alun Hudson-Williams
David Lloyd Hughes
E. Gratton Hughes
Garfield H. Hughes
G. S. Hughes
G. Trebor Hughes
Glyn Tegai Hughes
Gwilym T. Hughes
H. J. Hughes
I. Bryan Hughes
John Hughes
J. Cyril Hughes
J. Emlyn Hughes
Miss Jean E. Hughes
Mathonwy Hughes
R. Elwyn Hughes
Y Parch. T. J. Hughes
Trefor Llewelyn Hughes
Alwyn Hughes-Jones
H. Hughes-Jones
J. H. Humphreys
Peter Humphreys
Elizabeth Hunter
Dafydd Islwyn Huws
G. Pari Huws
Miss Norah Isaac
Dilys Ivor-Jones
Glyn Jacob
Allen James
Mrs. Ann James
Carwyn R. James
D. T. James
Nia a Non James
Mrs. Megan James-Evans
A. O. H. Jarman
Ivor Rees Jeffreys
Dafydd Jenkins
David Jenkins
D. W. Trevor Jenkins
E. L. Jenkins
Mrs. Mwynwen A. Jenkins
C. Arlandwr John
Glyn John
Eurion John
John O. John

Miss A. Jones
Ab Jones
Anna Jones
Arthur Jones
Y Parch. A. E. Jones, C.B.E.
A. Rocyn Jones
Bedwyr Lewis Jones
Ben G. Jones
Bobi Jones
Brynmor Jones
B. Maelor Jones
Miss Catherine a Miss M. A. Jones
Miss Ceridwen Jones
Miss Cecilia P. Jones
Miss Ceinwen Mair Jones
Cyril O. Jones
Dafydd Jones
David Jones
Dewi Blythyn Jones
D. B. Jones
D. Edgar Jones
Miss Dilys E. Jones
D. Gwyn Jones
Mrs. Dora Herbert Jones
Y Parch. D. Hilary Jones
Dafydd Morris Jones
David J. Jones
D. J. Jones
David Lewis Jones
Y Parch. D. Llewelyn Jones
D. M. Jones
D. R. Jones
D. S. Jones
Edward Jones
Miss Eirwen Jones
Elfed Jones
Elvet Jones
Emrys Jones (Cricieth)
Emrys Jones (Corwen)
Emrys Jones (Hemel Hempstead)
Emyr Jones
Y Parch. Enoch Jones
E. D. Jones, C.B.E.
Eluned Ellis Jones
E. Gunston Jones
E. Gwyn Rees Jones

E. Lloyd Jones
E. M. Jones
Mrs. Ellen Roger Jones
Emyr ac Enid Wyn Jones
Mrs. Eryl Wynne Jones
Y Gwir Anrhydeddus Syr F. Elwyn
  Jones, P.C., A.S.
Frank Price Jones
Geraint Percy Jones
Y Parch. Gerallt Jones
Glanville R. J. Jones
Gruffydd R. Jones
Miss Gwenno M. Jones
G. P. Jones
Y Parch. Gwyn Erfyl Jones
Gwynn Tudno Jones
Y Parch. G. R. Jones
G. Wyn Jones
Miss G. V. Vaughan Jones
G. W. Guthrie Jones, Q.C.
Harold Jones
H. Humphreys Jones
Harold Meredith Jones
H. Winter Jones
Hugh J. Jones
Hywel F. Jones
Ieuan Wyn Jones
Iorwerth Hughes Jones
Islwyn Jones
Mrs. Jeannie Jones
Miss Jenny A. Jones
John Jones
J. Brynmor Jones
Miss Jane C. Jones
Mr. a Mrs. J. E. Jones
J. Gwilym Jones
J. Gwyndaf Jones
J. Ifor Jones
J. Morgan Jones
J. M. Lloyd Jones
J. O. Jones
J. R. Jones (New Milton)
J. R. Jones (Hong Kong)
J. R. Jones (Tal-y-bont)
J. Rhys Jones
J. Talwyn Jones

J. Tysul Jones
Mrs. K. Idwal Jones
Llew W. Jones
Miss Margaret Jones
Meredith Jones
M. J. Jones
Mrs. M. Lilian Jones
Mrs. Nesta E. M. Glynne Jones
Ogwen M. Jones
Owen P. Jones
Owen T. Jones
Mrs. O. Vaughan Jones
P. Mansell Jones
Miss Rhiannon Davies Jones
Richard Jones (Tywyn)
Y Parch. Richard Jones
Robert Jones (Llanrwst)
Robert Jones (Acton)
Robin Gwyndaf Jones
R. W. Jones
Sam Jones
Tom Jones
Thomas Jones
Tommy Eyton Jones
T. J. Rhys Jones
Tydfil ac Elfed Jones
T. Gwynn Jones
William Evans Jones
W. Emrys Jones
W. E. Jones
W. Idris Jones, C.B.E.
W. J. Jones
W. Llewelyn Jones
William Teifi Jones
L. Jones-Pritchard
D. W. Jones-Williams
Mrs. N. Jones-Williams
Arthur T. Law
Aneirin Lewis
Alfred V. Lewis
C. W. Lewis
Y Parch. D. Islwyn Lewis
Mrs. Elfed Lewis
Mrs. Elisabeth Lewis
Miss E. Brenda Lewis
Mrs. Grace E. Lewis

Hywel D. Lewis
Ivor Lewis
Y Parch. J. D. Vernon Lewis
J. Huw Lewis
John H. Lewis
Kynric Lewis
Y Parch. L. Haydn Lewis
Mrs. R. A. Lewis
Saunders Lewis
Thomas D. Lewis
T. Ellis Lewis
Glyn Lewis-Jones
H. D. Llewellyn, O.B.E.
Alun Lloyd
A. Glyn Lloyd
D. Myrddin Lloyd
Emlyn Lloyd
Gwynne D. Lloyd
Miss I. M. Lloyd
J. H. Marshall Lloyd
Miss Mary Lloyd
Menna Lloyd
Mrs. Neli Lloyd
T. G. Lloyd
W. E. Lloyd
Mr. a Mrs. H. Lloyd-Evans
H. J. Lloyd-Johnes
Alun Llywelyn-Williams
Mrs. A. Lumley
Mrs. Nerys Wyn McKee
Mrs. A. Mainwaring
W. H. Mainwaring
Y Parch. D. F. Marks
D. R. Basil Mathias
J. Gordon Mathias
W. Alun Mathias
W. T. Matthews
Miss M. Wynn Meredith
Dilwyn Miles
E. G. Millward
Ffranses Môn
Dyfnallt Morgan
D. E. Morgan
Y Parch. D. Eurwyn Morgan
D. Llwyd Morgan
D. Watkin Morgan

Mrs. Gwyneth Morgan
Handel M. Morgan
Miss Magdalen Morgan
Prys Morgan
R. M. Morgan
Trefor Morgan
T. J. Morgan
Y Gwir Anrhydeddus Arglwydd
    Morris o Borth-y-Gest, P.C., C.B.E.,
    M.C.
Miss A. G. Morris
Y Parch. Giraldus Morris
John Morris, A.S.
Mr. a Mrs. J. A. Morris
J. Evan Morris
T. B. Morris
Y Parch. William Morris
W. A. D. Morris
Miss Gwenfron Moss
Y Parch. D. J. Mullins
J. E. Nefydd-Jones
Miss Glynwen Nicholas
James Nicholas
Y Parch. W. Rhys Nicholas
William Ronald Nicholas
Alun Oldfield-Davies, C.B.E.
Y Parch. Dafydd Owen
David Owen
Edward Owen
Edward J. Owen
Emlyn Owen
Emrys Bennett Owen
Geraint Dyfnallt Owen
Mrs. Gwen Davies Owen
Y Parch. Gwilym Owen
Henry R. Owen
Hugh D. Owen
John Owen
John H. Owen
J. T. Owen
Merfyn Owen
Percy E. Owen
Y Parch. R. G. Owen
Trefor M. Owen
W. R. Owen
J. Eryl Owen-Jones

B. G. Owens
Ian Parrott
Alun T. Parry
Syr David Hughes Parry, Q.C.
D. J. Parry
Mrs. Enid Parry
Mrs. E. Jones Parry
Miss Mabel Parry
Miss Mair Parry
Owen Parry
R. Hughes Parry
R. S. Parry
E. Parry-Evans
Iorwerth C. Peate
J. P. Penry
Mrs. Edgar Phillips (Maxwell Fraser)
T. I. Phillips
Vincent H. Phillips
Mrs. Rhiannon Picton
J. Pollecoff
Dewi Watkin Powell
Aeron Price
Mrs. M. J. Price
Elfyn Pritchard
T. Gwilym Pritchard
Mrs. R. J. Pritchard
Harri Pritchard-Jones
Mrs. F. V. Redd
Alwyn D. Rees
Brinley Rees
Mrs. E. J. Rees
Goronwy O. Rees
Gwynfil Rees
Ioan Bowen Rees
Y Parch. O. G. Rees
Mrs. K. Olwen Rees
Miss Mati Rees
Richard L. Rees
T. Ifor Rees, C.M.G.
T. Roderick Rees
William Rees
Mrs. Elizabeth Reynolds
A. R. Rhys-Williams
Brinley Richards
Dan Richards
Gwilym J. Richards

Y Tra Pharch. Gwynfryn Richards
H. P. Richards
Y Gwir Barch. J. R. Richards
Melville Richards
Penry Richards
Ted Richards
W. Leslie Richards
Hywel ap Robert
Alwena Roberts
Miss Annie Roberts
Beryl Roberts
Bryn F. Roberts
Mrs. Buddug Lloyd Roberts
Miss Ceinwen Roberts
Mrs. Ceridwen Roberts
Cynfab Roberts
Miss Elen Roberts
Elwyn Roberts
Emrys Roberts (Hale)
Emrys Roberts (Meifod)
Miss Enid Roberts
Ernest Roberts
Evan Roberts
E. Haddon Roberts, O.B.E.
Mrs. Eigra Lewis Roberts
E. P. Roberts
Goronwy Roberts, A.S.
Y Parch. G. J. Roberts
G. R. Roberts
Mrs. Hafwen Roberts
Miss Jane Roberts
J. H. Roberts
J. O. Roberts
John T. Roberts
Kate Roberts
Mrs. Mair Haf Roberts
Mrs. Marian Lloyd Roberts
Miss Margaret Roberts
Matthew J. Roberts
M. R. Roberts
O. E. Roberts
O. M. Roberts
Peter Roberts
Miss Rhiannon Roberts
Y Parch. a Mrs. R. Roberts
R. O. Roberts

R. Alun Roberts
Y Parch. R. D. Roberts
Robert Griffith Roberts
Mrs. Silyn Roberts, M.B.E.
Y Parch. Trebor E. Roberts
Syr William Roberts, C.I.E.
Abiah Roderick
B. C. Rogers
R. S. Rogers
Mrs. Margaret Rosewarne
Syr Alun Rowlands, K.B.E.
Mrs. A. Rowlands
Mrs. Mary Rowlands
M. H. Rowlands
William Rowlands (Porthmadog)
William Rowlands (Rhyl)
Y Parch. John Ryan
D. Roy Saer
Mrs. R. A. Saer
Mr. a Mrs. T. D. Scourfield
Mrs. Dilys Mair Selway
Eldon Smith
Mrs. Betty Squire
Stephen W. Stephens
A. Lloyd Thomas
Syr Ben Bowen Thomas
Brinley Thomas
Darwel Thomas
David Thomas
D. Alun Thomas
D. Hugh Thomas
D. J. Thomas
Edgar Thomas
Elwyn Thomas
Elwyn R. Thomas
Elias Thomas
Miss E. Tegwen Thomas
Goronwy Thomas
Gwyn Thomas
Ivor J. Thomas
Miss Jennie Thomas, M.B.E.
John Thomas
J. Buckland Thomas
J. Emrys Thomas, O.B.E.
John Lewis Thomas
J. Lloyd Thomas, M.B.E.

J. R. Thomas
Miss Katie Thomas
Kenneth Thomas
Miss Mary Thomas
M. Thomas
Mrs. M. A. Thomas
Miss Margaret Gwyneth Thomas
Miss N. Carolyn Thomas
Miss Rachel A. Thomas
Rachel Thomas
Richard Thomas, O.B.E.
Ronald M. Thomas
T. Haydn Thomas, M.B.E.
T. Leyshon Thomas
T. W. Thomas, M.B.E.
W. A. M. Thomas
Y Parch. Willie Thomas
Y Parch. W. J. Thomas
W. J. Thomas
W. S. Thomas
R. L. Thomson
Y Parch. Gwilym R. Tilsley
J. E. Tudor
Gwilym a Megan Tudur
Mrs. J. Turville-Petre
Mrs. Edith Walters
Eurof Walters
Geraint G. Walters, C.B.E.
John B. Walters
T. M. Ll. Walters
T. W. Warlow
Tegwyn Watkin
D. H. Watkin
J. Elwyn Watkins
Tudor Watkins, A.S.
Mrs. Ann M. Weeks
T. T. Whitehead
Aled Rhys William
Urien William
Arthur Williams
A. E. Williams
A. H. Williams
Miss A. M. Williams
Alun Ogwen Williams
Y Parch. Alun R. Williams
Mrs. B. Williams

Brynallt Williams
Miss Cathrin Williams
C. R. Williams
Dai Williams
David Williams
D. G. Williams
Y Parch. D. J. Williams
D. J. Williams
Daniel O. Williams
Edwin Williams
Mr. a Mrs. Eifion T. Williams
Miss Eirlys Nansi Williams
Miss E. N. Williams
Euryn Ogwen Williams
Ffowc Williams
Gareth Williams
Miss Gillian M. Williams
Glanmor Williams
Y Parch. Glyndwr Williams
Gwen Williams
Miss Glenys Mai Williams
Mrs. Grace E. Williams
Y Parch. Harri Williams
H. G. Williams
Hywel Davies Williams
Ieuan M. Williams
Irfon Rhys Williams
Jennie Williams
John Williams
J. Caradog Williams
J. Ellis Williams
J. E. Caerwyn Williams
J. Glyn Williams
J. Haulfryn Williams
Mrs. J. J. Williams
Jac L. Williams
J. O. Williams, M.B.E.
J. Rhys Williams
Mansel Williams
Mrs. Mary Williams
Meirion Williams

Moelwyn I. Williams
Mrs. M. Emyr Williams
Margaret J. Williams
Mrs. M. M. Williams
Miss M. Morfudd Williams
Miss Olwen Williams
Misses Parry Williams
Robert Williams (Bangor)
Robert Williams (Glan Conwy)
R. Bryn Williams
Stephen J. Williams
Trefor Williams
T. Gray Williams
Y Parch. T. H. Williams
Walton Williams, M.B.E.
Mrs. Wenna Williams
W. Isaac Williams
W. J. Williams
W. J. Philipps Williams
W. Ogwen Williams
Mr. a Mrs. W. Penry Williams
W. S. Gwynn Williams, O.B.E.
Mrs. Maimie Wilson-Roberts
Ifor Lloyd Wynne

Llyfrgell Coleg y Brifysgol, Bangor
Llyfrgell Dinas Bangor
Llyfrgell Dinas Caerdydd
Llyfrgell Coleg y Drindod, Caer-
fyrddin
Llyfrgell Ceredigion
Llyfrgell Sir Ddinbych
Llyfrgell Sir Forgannwg
Llyfrgell Sir Gaerfyrddin
Llyfrgell Sir Gaernarfon
Llyfrgell Gregynog
Pwyllgor Addysg Sir Gaernarfon
Ysgol y Merched, Bangor
Ysgol Ramadeg y Bechgyn, Llanelli
Ysgol Uwchradd Tregaron
Cylch Cinio Cymraeg Aberafan